霖雨蕭蕭　闇を斬る　五

第一章　今治と江戸

一

瀬戸内《せとうち》にめんした伊予《いよ》の国今治城《いまばり》が、強い陽射しに白く映えている。

文化《ぶんか》七年（一八一〇）の初秋七月六日。南国伊予は、残暑のさなかにあった。

海は碧《あお》くおだやかで、透きとおった青い空のかなたこなたにまっ白な綿雲がういている。しかし、国家老鮫島兵庫《さめじまひょうご》の心中は、凪《な》いだ海や秋晴れの空とはうらはらであった。

兵庫は、下城する乗物（武家駕籠《かご》）にゆられていた。

齢《よわい》七十。冬の冷えこんだ夜明けなどは、節々の疼痛《とうつう》がこたえる。が、節制のおかげで、血色はよく、背筋ものび、いまだ矍鑠《かくしゃく》たるものであった。

家臣の井坂権之助《いさかごんのすけ》がもたらした報《しら》せが、兵庫の内面に漣《さざなみ》をおこしていた。しかし、城中においては、毛ほども顔にだすことはなかった。

権之助は、兵庫がもっとも信をおく腹心だ。年齢《とし》は四十六。能面のごとく無表情で、腕がたち、刃のごときするどい才覚の持ち主である。

兵庫は、権之助に城下の動静をさぐらせている。

屋敷に出入りする商人《あきんど》たちが持参する金品を、兵庫は用人《ようにん》へ命じて帳面につけさせ、金子《きんす》が挨拶の範囲をこえれば返却していた。

進物《しんもつ》も多くは換金し、それらを権之助の入用《にゅうよう》にあてている。その金額も、いちいち帳面に記入させていた。

商人たちからの金品を、家老として政《まつりごと》のために役だてているのであり、表面上は一文《もん》たりとも私腹していない。

鮫島家は、藩祖からの家臣ではない。今治松平家に召しかかえられたのは、二代定時《さだとき》の治世にである。

目先の金銭にまどわされて墓穴を掘らぬよう、兵庫はおのれを律してきた。祖父が、城下の商人からの賄《まいない》を疑われ、隠居を余儀なくされた。

今朝、権之助が、町家の者たちまでが縄暖簾《のれん》で鷹森真九郎《たかもりしんくろう》の噂《うわさ》をするようになっていると報告した。

鷹森真九郎が出奔《しゅっぽん》したのは、二年まえの晩夏だ。

そのとき兵庫が追っ手をさしむけるよう強く主張したことは、いまでは家中のほとんどが知っている。

だから兵庫のちかくではひかえているが、城中でも、剣名が将軍家のお耳にまでたっした真九郎の帰参がとりざたされていた。

江戸屋敷からの報せでは、真九郎をすぐさま帰参させるべきとの声を、主君壱岐守《いきのかみ》がとどめたという。

兵庫には主君の心底《しんてい》が読める。

壱岐守は、しばらく待てと言ったのであり、ならぬと拒絶したのではない。家中の声に抗しきれずやむをえず帰参を認める。

機が熟するのを待っているのだ。

昨年、上府してすぐに、壱岐守は真九郎と下屋敷でひそかに会っている。しかも、剣術指南役としての誘いを固辞していると、あらたな留守居役となった池田伝右衛門《いけだでんえもん》が立花《たちばな》家の留守居役から聞いたとのことだ。

それも、他家へ奪われるなとの声となっていた。

筑後《ちくご》の立花家は十万九千六百石、準国主《じゅんこくしゅ》の家柄である。浪々の身にある者が、その剣術指南役を断る道理がない。壱岐守との密約があればこそだ。

真九郎も、年賀の挨拶と称して四斗樽《しとだる》（約七二リットル）の酒を上屋敷にとどけた。九樽も献上したのは、おのが名にかけてだ。

小賢《こざか》しいまねを、と思う。

むろん、兵庫とて、拱手傍観《きょうしゅぼうかん》していたわけではない。

将軍家から真九郎に下賜《かし》の品があったとの報せをうけ、すぐさま闇につなぎをつけた。

しかし、闇がくりだした驚くべき数の刺客《しかく》を、真九郎がことごとく撃退したとのことであった。

若くして城下にある竹田《たけだ》道場の師範代をしていたが、まさかそれほどに遣うとは思わなかった。

兵庫は、二百五十両を追加し、さらに五百両を用意するので、早急《さっきゅう》に真九郎を始末するよう依頼した。

またしても家宝を手放さざるをえないが、背に腹はかえられない。

鷹森真九郎は、いまや将軍家までもがごぞんじの剣客である。主君が帰参をもちだせば、拒む口実はない。

そのまえに、なんとしても亡き者にせねばならない。

乗物は、鉄御門《くろがねもん》からなだらかな傾斜の土橋をくだりつつあった。

内堀は幅三十間《けん》（約五四メートル）で、土橋は片側だけに腰高の土塀がある。

土橋の正面は、ひろい馬出《うまだし》だ。

乗物は馬出を左に行く。

内堀と中堀とにはさまれた城の北西に、鮫島家の屋敷はある。

兵庫の内面に不快な波紋をひろげつつあるのは、鷹森真九郎のことではなかった。

将軍家より真九郎に下賜の品があったとの報が江戸からとどいたおりには、さながら熱病にでもとりつかれたかのごとく城中のいたるところでもちきりであった。殿が帰国して、それが再燃したにすぎない。

しかし、真九郎の名とともに、脇坂小祐太《わきさかこゆうた》の名がとりざたされだしたという。

暴風雨にまぎれて小祐太を始末したのは、文化二年（一八〇五）の仲秋八月だ。五年もまえである。

真九郎と小祐太とはおない歳《どし》で、同時に出仕したこともあって、友誼《ゆうぎ》をふかくしていた。

だから、真九郎がらみで、家中の期待をあつめていた小祐太の名が墓からよみがえるのもうなずけなくはない。

ながく江戸留守居役であった脇坂彦左衛門《ひこざえもん》の嫡男が俊英であるのは、帰国まえから家中にあまねく知れわたっていた。帰国後しばらくして、権之助からも、姉妹の美しさとともに城下の町人たちのあいだでも評判だとの報告をうけた。

昨夜《さくや》、居酒屋で真九郎と小祐太について話していたのは、竹田道場の若い門人たちだという。

ただの偶然なのか。

兵庫は、一抹《いちまつ》の不安をおぼえつつあった。

下城を迎えにきた権之助が、鷹森太郎兵衛《たろうひょうえ》が屋敷ちかくの中堀に釣糸をたれていると告げた。

それも、兵庫は気にいらなかった。

三重の堀は、海水を流入している。非番の者が、中堀土手の松並木で釣りをしているのは、めずらしい光景ではない。

小魚のほかに、鯔《ぼら》や黒鯛《くろだい》が釣れることもある。

内堀にはおよばないが、中堀も二十間（約三六メートル）の幅がある。中堀の北端には広い船入《ふないり》（港）があり、外堀をへて海へつうじている。

城の四周をかこむ内堀と中堀とのあいだには上士の屋敷が、外堀をはさんだ三方には下士の屋敷がある。

乗物が屋敷の門をくぐり、玄関についた。

玄関でかしこまっている用人に、兵庫はすぐにもどると告げ、権之助をうながした。

鷹森家の屋敷は城の南西方角にあり、内堀にめんしている。

内堀での釣りは、むろんのこと厳禁である。それなら、屋敷ちかくの中堀へ行けばよい。なにゆえ鮫島家のまえまで足をはこんだのか。

それが気になるからこそ、権之助も報告したのだ。

斜めうしろに権之助をしたがえ、兵庫は門をでた。

正面の土手さきに腰をおろした背中がある。いかにも非番の昼をくつろいでいるかのように見えなくもない。

兵庫は、土手にむかった。

鷹森太郎兵衛は三十三歳。殿の信任厚く、上士下士の別なく同輩や配下の者たちに慕われている。

いまは馬廻組頭《うままわりくみがしら》だが、老齢の馬廻組番頭が来春には隠居する。そして、若いころからおちついた物腰で老職たちの評判もよい太郎兵衛が馬廻を統《す》べる番頭となるのは既定であった。

太郎兵衛とおなじく、小祐太の父の脇坂彦左衛門も、殿の信頼をえている。長女の雪江《ゆきえ》は鷹森真九郎と夫婦《めおと》となり、来月には次女の小夜《さよ》が大目付戸田左内《とださない》の次男小四郎《こしろう》を婿養子にむかえる。

戸田小四郎は、算勘《さんかん》に秀《ひい》でている。殿が、上府にともない、江戸の塾で一年学ばせた。家中の者がとりざたしているように、数年と待たずに勘定奉行であろう。

太郎兵衛が武を抑え、小四郎が勘定方の支配、そして帰参した真九郎が大目付。そうなれば、家中のたいはんが、鷹森、脇坂、戸田の三家につく。

兵庫は、主君の壱岐守とそりがあわない。むろん、だからといってたがいに表面にだすことはない。

であるがゆえになおさら、兵庫は政をとどこおりなくおこなっている。壱岐守は聡明である。こちらを宿老として遇するいっぽうで、鮫島家を藩政から遠ざけるべく策《て》をうっている。

壱岐守の意は、帰参した真九郎に別家をたてさせ、太郎兵衛を家老にまでのぼらせることにあるのではないか。

このごろでは、兵庫はそのように考えていた。

俊英の誉《ほま》れたかかった小祐太を始末し、目付として頭角をあらわしつつあった真九郎も策によって放逐した。

鮫島家の地位をおびやかす者は、断固として排除する。孫の松太郎《まつたろう》が苦労せずともすむよう道をととのえておかねばならぬ。

江戸留守居役であった甥《おい》の大久保孫四郎《おおくぼまごしろう》の遺品はすべてはこばせ、書状はとりもどした。

さりげなく娘をあおって真九郎が上意討ちした嫡男の仇《かたき》を討ってくれとせがませ、そのむねを孫四郎へしたためた。

いま、兵庫がもっとも恐れているのは、真九郎が小祐太を始末した経緯《いきさつ》に気づいているか、疑っているのではないかということであった。

しかし、いまだ確証はえてないはずだ。あるのなら、すでに殿の耳にたっしている。

土手は松の幹や枝が影をおとしていた。

太郎兵衛のうしろ姿は、無心に釣糸をたれているふうにしか見えない。

だいぶちかづいたところで、太郎兵衛がふり返った。

「これは、ご家老」

立ちあがろうとするのを、兵庫は笑みをうかべ、片手でとどめた。

「そのまま、そのまま」

兵庫は、太郎兵衛のかたわらにより、魚籠《びく》をのぞいた。

からであった。

太郎兵衛が見あげてほほえんだ。

「妻《さい》が、子らをともなって実家《さと》へまいっておりまする」

兵庫は小首をかしげた。

「たしか、田島《たじま》のご息女であったな」

田島家の屋敷は一軒おいたならびにある。

「さようにござりまする。船入にちかいほうが釣れるような気がいたし、お屋敷まえを失礼させていただいておりまする」

「なあに、かまわぬ。そなたが釣りをするとは知らなんだ」

「たまにでござりまする。漁師《りょうし》町《まち》はずれの磯《いそ》で、順之介《じゅんのすけ》さまをお見かけしたことがござりまする」

順之介は鮫島家の婿養子である。松太郎の出産とひきかえに他界した長女とはひとつ違いで、この年五十になる。

「あれはのんびり者でな。若いころから釣りが道楽だと申しておった」

「申しわけござりませぬ」

太郎兵衛がかるく頭をさげた。

「責めておるのではない。ところで、殿は、今般のご帰国はいまだ野駆けをなされておられぬようだが……」

「昨日《さくじつ》、この天気がつづくようなら、明日《みょうにち》供をするよう仰せつかっておりまする」

「さようか。それは重畳《ちょうじょう》。民百姓も、殿がご壮健であらせられるのを拝したてまつることがかなう。邪魔をしたな」

兵庫は、踵《きびす》を返して笑みを消した。

太郎兵衛から不審な点はうかがえない。が、ことをいそがねばならぬと、心底に銘記した。

今治藩は、八十数家ある百石以上が上士である。百二十石から出発した鮫島家は、三代定陳《さだのぶ》の治世で家老職につき、六百五十石を有するまでになった。

鷹森家は三百石、脇坂家は四百石、戸田家は三百四十石で、いずれも家中では高禄《こうろく》な家柄である。しかも、藩祖からの由緒ある家系だ。

去っていく兵庫を見ていた太郎兵衛は、井坂権之助に眼を転じた。

するどい眼差《まなざし》をなげていた権之助が、さっと背をむけ、兵庫のあとについていく。

太郎兵衛は、水面《みなも》に上体をもどした。

鮫島兵庫の他出《たしゅつ》には、井坂権之助が影のごとくしたがう。警護役である。家中に古くからある真貫流《しんぬき》の遣い手だという。

伊予今治では真貫流の字でつたわっているが、心抜流、もしくは信抜流ともいう。流祖は奥山左衛門大夫忠信《おくやまさえもんだゆうただのぶ》。

奥山左衛門大夫は、上泉伊勢守信綱《かみいずみいせのかみのぶつな》の門人だとも、その伊勢守に学んでタイ捨流《しゃ》を興《おこ》した丸目蔵人佐長恵《まるめくらんどのすけながよし》の門下だともつたわる。

鷹森家は、元禄《げんろく》（一六八八～一七〇四）のころからある以心得宗流《いしんとくそう》をほそぼそと継承している。

屋敷の一角に祀《まつ》ってある祠《ほこら》のまえが稽古場で、むろん床《ゆか》も屋根もない。流祖は津田覚左衛門《つだかくざえもん》で、関口《せきぐち》流を汲《く》むとも、宮本武蔵にさかのぼるともいう。

いまでは道場さえない流派の門を叩《たた》く者もなく、父は城下にできた竹刀《しない》稽古をとりいれている直心影《じきしんかげ》流の竹田道場に真九郎を入門させた。

太郎兵衛の五尺六寸（約一六八センチメートル）の体軀《たいく》は、骨太で頑健であった。大柄で母親似の美男である真九郎にくらべると、面貌《めんぼう》も角張っている。眉も太い。しかし、鷹揚《おうよう》な人柄と二重《ふたえ》のやさしげな眼が、表情をやわらげていた。

晩夏六月五日に江戸を発《た》った参勤交代の行列は、二十五日に帰国した。

翌二十六日、戸田小四郎がたずねてきた。そして、つぎの日、城下はずれの寺町《てらまち》通りにある来迎寺《らいごうじ》の境内《けいだい》でひそかに会った。

脇坂小祐太殺害をふくむ小四郎の話と、それをさらに詳細にしたためた真九郎からの文《ふみ》は、太郎兵衛を愕然《がくぜん》とさせた。

だが、雪江を娶《めと》りたいとの強引な横槍《よこやり》をふくめて、得心のいくことばかりであった。主君と家中、民百姓のことを思うならば、家老としては才ある者の登用を心がけるべきだ。ひいてはそれが、跡を継ぐ婿養子の順之介や孫の松太郎のためでもある。主君の意に背くことによって鮫島家がえるものはなにもない。

しかし、太郎兵衛は、真九郎がかるはずみなことを口にしないのを知っている。小四郎の命まで狙われかねないとあっては放っておくわけにはいかない。

ことの真偽を明白にするためにも、真九郎の策を実行する。脇坂彦左衛門は老齢であり、小祐太の死の真相を告げないことに決めた。

鮫島家のようすをみるために、太郎兵衛は妻子を実家《さと》に行かせて、釣糸をたれているのだった。

下城したその足で、兵庫はやってきた。わざわざ足をはこんできて声をかけるなど、城中でさえかつてないことである。

城下で小祐太の名がとりざたされだしたのが、すでに耳にたっしているととってもよさそうであった。

兵庫が、城下の噂を気にかけているということである。やましさがあるからだ。真九郎が言ってきたように、小祐太の一件が兵庫の弱みである。

小四郎と会い、数日以内につぎの策《て》をうつ。

釣竿《つりざお》のさきがぴくぴくとふるえた。

田島家から中間《ちゅうげん》が迎えにくるまでに、四寸（約一二センチメートル）ばかりの小魚が三尾釣れた。

二

おなじころ、鷹森真九郎は江戸湊《みなと》の佃島《つくだじま》にいた。

佃島は漁民の島である。こけら葺《ぶ》きの小店《こだな》もあるが、甍《いらか》をならべているのは住吉明《すみよしみょう》神《じん》だけで、ほとんどが藁葺《わらぶ》きの平屋であった。

築地鉄炮洲《つきじてっぽうず》の船松町《ふなまつちょう》二丁目の河岸と島とをむすぶ佃ノ渡は、二町（約二一八メートル）余の距離である。

　真九郎は、霊岸島銀町《れいがんじましろがねちょう》の船宿浪平《なみひら》の猪牙舟《ちょきぶね》で佃島と石川島《いしかわじま》とのあいだをすすみ、住吉明神のさきにある広い空き地の砂浜におりたったところであった。

　南西の空にある初秋の陽が、海面に光の帯を曳《ひ》いている。残暑の陽射しを、汐《しお》と魚の香《か》がまじった海からの涼風がやわらげていた。

　四日まえ、左封じの書状がとどいた。

　ていちょうな文面であった。

　唐突な書状の非礼を詫《わ》び、貴殿に遺恨をふくむわけではないが、やむなき仕儀により果し合いを所望したい、としたためられていた。そして、時と場所をしめし、不都合であれば望む日時とところをお教え願いたいとあり、馬喰町《ばくろちょう》の旅籠《はたご》の屋号が記されてあった。

　最後に、真九郎が、直心影流宗家団野《だんの》道場の師範代であるを承知いたしております、それがしは尾張柳生流《おわりやぎゅう》流でござりまする、とむすばれていた。

　差出し人は、〝尾州《びしゅう》浪人〟で改行し、〝日下左門《くさかさもん》〟とあった。

　柳生流は、正確には柳生新陰《しんかげ》流という。

　江戸期の流派の多くが、戦国末の剣聖上泉伊勢守信綱にさかのぼる。

　たびたび流派名を変更した直心影流では、初代を杉本備前守政元《すぎもとびぜんのかみまさもと》、二代目を上泉伊勢守信綱としている。その伊勢守より印可《いんか》をえた柳生石舟斎宗厳《せきしゅうさいむねよし》が柳生新陰流の流祖である。

石舟斎五男の但馬守宗矩《たじまのかみむねのり》が徳川家康に仕え、のちに二代秀忠《ひでただ》、三代家光《いえみつ》の指南役として江戸柳生流の地位を築いた。

いっぽう、長男厳勝《よしかつ》の次男である兵庫助利厳《ひょうごのすけとしよし》が、御三家筆頭の尾張徳川家に仕えて尾張柳生流を興《おこ》す。

石舟斎が相伝をさずけたのは、江戸の但馬守宗矩ではなく尾張の兵庫助利厳であった。したがって、柳生新陰流の正統は、将軍家お家流の江戸柳生ではなく尾張柳生ということになる。

なだらかな砂浜を、真九郎はのぼっていった。

砂浜は松原につながっている。

そのむこうは、いくらか起伏のある野原だ。

鼠色《ねずみいろ》の古着の単衣《ひとえ》に、伊賀袴《いがばかま》の裾《すそ》を脚絆《きゃはん》でしぼり、足は草鞋《わらじ》をむすんでいる。

刀は鎌倉《かまくら》をさしてきた。

差料《さしりょう》は五振りある。大和《やまと》、鎌倉、備前《びぜん》、筑後《ちくご》、肥後《ひご》の順で長く、重い。いずれも、その地の刀工の作である。

鎌倉は二代目で、初代は国もとの門弟である戸田小四郎の差料として贈った。筑後は、柳河《やながわ》藩主立花左近将監鑑寿《さこんしょうげんあきひさ》より拝領した。寛文《かんぶん》年間（一六六一～七三）の刀工鬼塚吉国《おにづかよしくに》の作である。肥後は、胴太貫《どうたぬき》だ。

遠くでかすかに夕七ツ（秋分時間、四時）を告げる捨て鐘が鳴りはじめた。

日下左門は、ひときわ眼をひく松の巨木の根に腰かけて待っていた。五十をこえていると思われる骨と皮ばかりの体躯だ。

小柄な左門も、伊賀袴の裾を脚絆でしぼっている。

左門が立ちあがった。

真九郎は、雑草を踏みしめてちかづいていった。

六間（約一〇・八メートル）ほどのところで立ちどまる。

「鷹森真九郎にござりまする」

「日下左門にござる。このようなところまで呼びだし、申しわけござらぬ。江戸まで同道した者に、ここなら邪魔がはいらぬと教えてもらいましたゆえ」

「古着の担売《かつぎう》りでござりましょうや」

「さよう」

「日下どの、お聞き願えませぬか」

左門の表情を苦渋がよぎった。

「無用にしてくだされ。貴殿には貴殿の言いぶんがござろう。はなはだかってながら、貴殿を討たねばならぬ。立ち合ってはくださらぬか」

真九郎は、鼻孔から息をもらした。

左門もまた、闇が返しきれぬほどの恩義をきせた剣客であろうと推察していた。話しあえさえすれば、了解してもらえるのではないかとのひそかな期待があった。

「やむをえませぬ」

「かたじけない。したくをなされよ」

真九郎は、懐《ふところ》から紐《ひも》をだした。

襷《たすき》をかけ、手拭《てぬぐい》で額に汗止めをする。

左門も同様のしたくをしていた。

たがいに一揖《いちゆう》し、刀を抜く。

青眼《せいがん》にとった左門が、斜めまえへ歩をすすめる。

真九郎は、まわりながらつめていった。

左門は、眼が窪《くぼ》み、頬が痩《こ》け、髷《まげ》や鬢《びん》に白いものがまじっている。やせた体軀は枯れ木のようで、刀は枯れ枝であった。しかし、枝が幹からおのずと生えいずるように、寸《すん》毫《ごう》も隙がない。

西陽がまよこになったところで、申しあわせたようにぴたりと止まる。

左門が、青眼から下段にとった。

柳生流では構えを〝位《くらい》〟と呼ぶ。下段を、とくに〝無形の位《むぎょう》〟という。柳生の剣は後《ご》の先《せん》であり、形や構えではなく、相手におうじて勝ちを制するに究理《きゅうり》がある。

敵を動かして勝つを〝活人剣《かつにんけん》〟、封じて勝つを〝殺人刀《せつにんとう》〟と明確に区別し、躰《からだ》の中心線である〝人中路《じんちゅうろ》〟を重視する。

たがいに摺《す》り足でよっていく。

左門の身の丈は五尺二寸（約一五六センチメートル）余で、真九郎よりも七寸（約二一センチメートル）ほど低い。肩幅も、女人《にょにん》のごとくほそかった。それでいて、老巨木にのしかかられるような圧迫を、真九郎は感じていた。

二間半（約四・五メートル）。

同時に動きを止める。

左門は、伏し眼がちに微動だにしない。鬢のほつれ毛が、海からのそよ風になびいているだけだ。

真九郎は、青眼からゆっくりと得意の八相《はっそう》にもっていった。そして、左門の背後に眼差をむけた。

見るのではなく、相手をとらえる。

肩の力を抜き、左手で柄《つか》をにぎり、右手は添えるだけにする。静かに息を吸ってはき、臍下丹田《せいかたんでん》に気をためる。

動くのは、そよ風にあそぶ雑草と、西陽にしたがうふたりの影だけであった。

陽がかたむくほどに、影が長くなっていく。

ときおり涼風がとおりすぎていくのに、真九郎は額に汗をにじませていた。

陽射しが雲にさえぎられ、影が走ってくる。

無言の気合を発し、真九郎はとびこんだ。

左門の刀身よりも鎌倉のほうが長い。じゅうぶんに踏みこみ、袈裟《けさ》をみまう。鎌倉が、大気を裂き、唸《うな》りを曳《ひ》いて奔《はし》る。

老巨木が縮んだ。

右足をひいた左門が、柄頭《つかがしら》を斜めに立てる。

左門にとどきそこねた鎌倉が鎬《しのぎ》をすべっていく。

霧月《むげつ》――。

踏みこんでいた右足を軸に躰を回転。左手を柄から離し、勢いを利して円弧を描かせて薙《な》ぎにいく。

巻きあげられた。

鎌倉がながれ、左門の切っ先が青空を突き刺す。

右肩をさらしている。

かわしきれぬ。

――雪江ッ。

真九郎は、心中で叫び、眼をとじた。

刀を抜くはおのが死の覚悟でもある。一瞬が無限に思えた。

が、斬撃《ざんげき》がこない。

真九郎は眼をあけた。

左門が、苦しげに眉をゆがめ、両肩をはねあげながらこみあげる咳《せき》をこらえていた。

両頬がふくらむ。

真九郎は、さっとひき、左手をそえた鎌倉を八相にとった。

柄から右手を離した左門が、懐から手拭をだし、口にあてた。よこをむき、激しく咳こむ。

頬が鮮血で濡《ぬ》れる。

ふたたび咳こんだ左門が、背をかがめ、膝をおった。地面に両手をつけ、なおも咳こむ。

ほとばしりでた鮮血が、雑草と地面に散った。

左門が、苦しげにあえぐ。

とじた目尻に、幾本もの皺《しわ》が刻まれ、顔面が朱にそまっている。

真九郎は、懐紙《かいし》をだして刀身にぬぐいをかけ、鞘《さや》にもどした。

苦痛をこらえる目上の者を見おろしている。真九郎は、さらに五歩さがり、片膝をついた。

左門が、息をととのえるにつれ、顔から血の気が失《う》せていった。

真九郎は声をかけた。

「日下どの、舟に水がありまする。よろしければ、とってまいりまする」

左門がわずかに横顔をむけた。

「お願い、いたす」

「お待ちあれ。すぐに」

真九郎は、立ちあがると、駆け足で浜にもどった。

猪牙舟の艫《とも》に、老船頭の智造《ともぞう》が腰かけて煙管《きせる》をくゆらせていた。

浜を駆けおりてくる真九郎の姿に、雁首《がんくび》を船縁《ふなべり》に叩いて煙草《たばこ》をおとし、あわてて腰をあげた。

「智造、そこの吸筒《すいづつ》（水筒《すいとう》）をくれ」

「ただいま」

智造が舳《みよし》までもってきた竹筒を、真九郎はうけとった。

「待っておれ」

踵《きびす》を返して駆ける。

左門は、血を吐いたところから三間（約五・四メートル）ほど離れ、心もち顎《あご》をつきだすようにして風に顔をさらし、眼をとじて端座していた。

額の汗止めも襷もはずしている。唇と頰の血はぬぐってあった。蒼《あお》ざめ、頰骨がとがり、目尻と額の皺が、いっきょに歳をかさねさせている。

眼をあけた左門が、ちかよろうとする真九郎を手でとどめた。

「鷹森どの、見苦しきさまをお目にかけてしまい、申しわけござらぬ。宿痾《しゅくあ》でござる。そこにおいてくだされ」

真九郎は、うなずいて竹筒を地面におき、よこにじゅうぶんに離れて片膝をついた。

襷がけをしていた紐をはずして懐にしまい、ほどいた汗止めで額と顔をぬぐう。

左門は、なんとか背筋を伸ばし、一歩、一歩と、蹌踉《そうろう》たる足どりですすみ、竹筒のまえで膝をおった。

二度うがいをしてから水を飲み、手拭を濡らして顔をぬぐった。

たたんだ手拭を竹筒のよこにおいた左門が、正面に顔をむけたままで言った。

「もはや、貴殿と刀をまじえることはかないませぬ」

「日下どの、医師のもとへ」

左門が首をふった。

「無駄でござる。これほど血を吐いたことはござらぬ。余命も、これまで」

「気弱なことを申されるな。養生すれば……」

ふたたびしずかに首をふることで、左門がさえぎった。

「あのおり、躰をまわす貴殿の面を狙いにいけば、胴を薙がれておりました。今生《こんじょう》の別れによき立合をさせていただきました。やむなく貴殿と為合《しあ》わざるをえませんでしたが、たとえ勝ちをえたとしても、この場で割腹する所存にござりました」

「日下どの、古着の担売りがどのように申していたかをお教え願えませぬか」

左門が顔をむけた。

「貴殿が、口論のあげくに同輩を刀にかけ、妻女とともに逐電《ちくてん》した。ようやく江戸におるのがわかったので、仇を討てそうな者の心あたりはないかと母親に相談されたそうにござる。なんでも、昇吉《しょうきち》と申すその担売りの亡くなった母親が、昔、その屋敷に奉公をしておったとか」

「おおかたそのようなことであろうとは思っておりました」

左門が眉をひそめた。

「ちがうと申されるか」

真九郎は、左門を気の毒に思った。

「上意の使者として、その者の屋敷へまいりました。が、その者は切腹を承知せず、立合をもとめましたゆえ、やむをえず庭で討ちはたしました。それを、その者の母御が見ておりました」

「なんと……」

左門が顔をもどして眼をとじた。

ほどなく眼をあけた左門が、上体を真九郎にむけてすわりなおした。

「貴殿が、いまさら虚偽を弄するとも思えぬ。どうやら、それがしは謀《たばか》られておったようでござる。鷹森どの、聞いてくだされ」

若いころの左門は、尾張の柳生道場で竜虎と呼ばれていた。

ある日、母親の供で墓参りに行った。帰りによった門前の掛茶屋に美しい娘がいた。左門はどぎまぎし、娘もまた含羞《がんしゅう》のある上目遣いの眼差をちらちらとむけた。

左門は娘が忘れられなかった。

ほどなく、人目を忍ぶ仲になった。が、どれほど愛《いと》おしかろうが身分の壁がある。娘は、いつもおそばにいたいと泣いた。おのが腕のなかで流す娘の涙に、左門は胸をかきむしられた。

身分を捨てぬかぎり、娘と添いとげるのはかなわない。左門は嫡男だが、弟がふたりある。

家をでる決意をした左門は、断腸《だんちょう》の思いで父への偽《いつわ》りの文をしたためた。剣の道を究めるべく、諸国修行の旅にでたい。不孝を詫び、おのれは亡き者と思い、弟へ家督《かとく》をゆずるよう願った。

母は察したようであった。

部屋にはいってくると、なにも言わず悲しげな眼で左門を見つめ、袱紗《ふくさ》で包んだ切餅《きりもち》（二十五両）一個をおいた。

左門は、母が去るまで畳に額をすりつけんばかりに低頭していた。

しめしあわせて待たせていた娘をともない、左門は城下をあとにした。左門は二十三、娘は十七であった。

ひと月が夢のようにすぎた。

そのころから、娘がいつ城下にもどるのかと訊《き》くようになった。左門は、もう国もとに帰ることはできないのだと説いた。

でも、いつかはお帰りになるのでしょうと、娘が訊く。そうではないと、左門は説明した。いずれはどこぞの城下におちつき、柳生流道場の門を叩くつもりだが、それまでは旅をつづけるしかない。

さらにひと月ほどがすぎた夕刻、左門が旅籠にもどると、娘は切餅ひとつとともに消えていた。

尾張城下にもどるのはわかっている。女の足だ、その気になればすぐに追いつける。が、左門は、そうしなかった。遅まきながら、娘がおのれに惚《ほ》れたのではなく、武家の嫁となるのを夢見ていただけだと悟ったのだ。そうとも知らずにのぼせあがり、すべてを捨ててしまった。

酒におぼれ、左門はおのれを嗤《わら》った。

路銀がつきると、道場破りをやり、博徒《ばくと》の用心棒となって人を殺《あや》めた。

家を捨てて二十年がすぎた。

いつしか、左門はつねに微熱があり、咳をするようになった。そして、ついに血を吐いた。労咳《ろうがい》（肺結核）である。

それでも、酒とすさんだ暮らしをやめようとはしなかった。

担売りの昇吉と出会ったのは、そのころであった。道場破りをやっていくばくかの金子を懐にしてでてくると、どこからともなくあらわれて木賃宿《きちんやど》までついてきた。

左門は、なにくれとめんどうをみようとする昇吉の好きにさせた。

朝、商いにでて、夕刻に卵などの滋養のつくものを手にいれてきて料理をつくって食べさせる。

左門が酒を飲むと、悲しげに見つめる。

先生のような名人をこのまま埋もれさせておくのはもったいない。主《あるじ》の親は武士であったが、刀を捨てて商人《あきんど》になった。

――先生のことを話せば、江戸で道場をひらくなり、きっと力になってくださいます。主にお話ししてまいりますので、どうか養生してください。元気になりましたら、手前といっしょに江戸へまいりましょう。

熱心にすすめるので、左門は好きにするがよいとこたえた。

昇吉が見つけてきた山寺へ、左門はうつった。

山寺で暮らしはじめ、左門はおのがこしかたを思いかえした。父親には、剣の修行を理由に出奔した。

左門は、酒を断った。

年に二度か三度、昇吉がたずねてきた。

「……やはり、九州よりの長旅は無理でござった。箱根《はこね》でしばし湯治いたしましたが、このざまでござる。この五年、昇吉が寺に寄進する金子で余命をつないでおりました。その恩義をかえすためにひきうけたしだいにござる。貴殿には、なにやらよほどのご事情がおありと拝察いたす。しかしながら、謀られたとはいえ、恩義は恩義。かと申して、たとえ気力がもどったとしても、もはや貴殿と刀をまじえるわけにはまいりませぬ。鷹森どの、介錯《かいしゃく》をたのまれてはくださらぬか」

これほどの剣士を――。

が、左門は死期を悟っている。

「承知つかまつりました」

「そこの松においた財布に、十両あまりはいっておりまする。それで始末をお願いいたす」

「おひきうけいたしまする」

一揖した左門が、背中に風をうけるようにすわりなおし、懐紙をだした。

真九郎は、立ちあがり、あらためて襷をかけた。大量の吐血をした左門の顔面は蒼白《そうはく》で、気力だけで上体をささえている。

左門が脇差を懐紙でくるんだ。

真九郎は、抜刀してよこに行き、高八相にとった。

西陽が、茜色《あかね》にそまりつつあった。

三

初秋七月七日は七夕《たなばた》である。彦星《ひこぼし》と織姫《おりひめ》が年に一度の逢瀬《おうせ》を楽しむ。

曇りがちであった江戸の空がこの日ばかりは晴れわたり、無数の星を散らした雄大な天《あま》の川《がわ》がまたたいていた。

夕餉《ゆうげ》を終えた真九郎は、雪江とともに永代橋《えいたい》までのそぞろ歩きをした。

東西の川岸には屋台がならび、夕涼みをする町家の者たちでにぎわっていた。

辰巳《たつみ》芸者染吉《そめきち》が、深川洲崎弁財天《ふかがわすさきべんざいてん》で闇一味の刃《やいば》にかかったのは先月の十六夜《いざよい》であった。

真九郎は、雪江にすべてを語り、詫びた。あとになり、話すべきではなかったかもしれないと悔やんだ。

しかしそのときは、染吉を助けられなかった呵責《かしゃく》の念があり、雪江に隠しごとをすべきでないと思ったのだった。

世慣れた桜井《さくらい》琢馬《たくま》に相談すれば、すぎたことだ、そいつはおめえさんの胸んなかにしまっておきな、と忠告されたようにも思う。

剣の腕は無類だが、きまじめいっぽうの真九郎は世間智とは疎遠であった。

おのれのせいで嵯峨《さが》屋治兵衛《じへえ》が闇の犠牲となった。染吉だけはわが命にかえてもとの決意であったのに、眼のまえでむざむざ殺されてしまった。その無念さが、心のゆとりを奪っていた。

真九郎は、染吉に慕っていると打ち明けられたこと、妻がいると断ったが心に迷いがあったことを正直に話した。

黙って聞いていた雪江の両眼から涙がこぼれた。

「わたくしに、ややができぬばかりに……」

「そうではないのだ」

真九郎は、雪江をどれほどだいじに思っているかを語り、詫びた。

おのれの言いようが矛盾していることにさえ、真九郎は気づかなかった。なにものにも代えがたいほどに雪江がたいせつなら、命にかえても染吉を助けようなどとは思わないはずだ。

ふたりは似たもの夫婦であった。申しぶんなく美しく、薙刀《なぎなた》を遣い、琴と花と茶のたしなみがあり、夫につくす非の打ちどころのない武家の妻である雪江も、真九郎ではなくみずからを責めるのだった。

それまでは、そこに相手がいるだけで、ふたりは春の陽溜《ひだま》りのなかにあるかのごとくみちたりていることができた。

たがいを見つめ、眼で語りあえた。

それが、思いを口にするほどに、どこか違うか、なにかがたりず、真九郎は心底をつたえきれぬもどかしさに苦しんだ。

雪江の挙措《きょそ》から、娘じみた無邪気さが消えた。表情に翳《かげ》りがよぎったりすると、真九郎は自責にさいなまれた。

もはや、以前とおなじではなかった。おのれのばか正直さが、雪江を傷つけた。真九郎はそれを悔やんだ。

ならば、染吉とのいきさつを隠しておけばよかったのか。

真九郎にはわからなかった。はっきりしているのは、こうなったすべてがおのれの気の迷いのせいであるということだ。

以前は、雪江がただただ愛おしいだけで、そこには一点の曇りもなかった。

それが、ふたりのあいだにわだかまりの靄《もや》がかかり、雪江を遠くに感じたりするようになった。

疵口《きずぐち》をいやし、溝を埋めるべく、ふたりはおのずといっしょにすごすようになった。

だからこの夜も、真九郎は雪江を誘ったのだった。


江戸の蒼穹《そうきゅう》を蛇行する星々の大河を仰ぐ幾多の眼のなかに、酒肴《しゅこう》をまえにして鷹森真九郎について語る三人があった。

暗く沈むひろい庭のかなたに天の川がよこたわっている。

池の畔《ほとり》にある二十畳の離れ座敷には、呼ばぬかぎりは誰もこない。女中たちが、三の膳をもってきて、杯に諸白《もろはく》（清酒）を注《つ》いだ。

「もうよい。そのほうらはさがれ」

奥女中たちが三つ指をつき、退出していった。

鬼心斎《きしんさい》は、この年四十八になる。

いまでも素振りと形の稽古を欠かさないので、中肉中背の体軀は若いころとさほどかわらない。双子の兄がいささか肥《ふと》ったと耳にしたときから、鬼心斎はいちだんと稽古にはげんだ。

父母はむろんのこと、半刻（約一時間）ほどさきに生まれた兄とさえ、鬼心斎は一度として会っていない。父母には、臨終にさえたちあわせてもらえなかった。公儀に届けられたのも、兄の誕生だけである。いまや鬼心斎を知る者は、本邸にもわずかしか残っていない。

上座の鬼心斎の左斜めまえに、用人の渡辺又兵衛《わたなべまたべえ》がいる。

小柄な又兵衛は、この屋敷にひきとられた赤児《あかご》のおりから鬼心斎に仕えている父子二代にわたる無二の忠臣である。

表は又兵衛が、奥は妹の幾代《いくよ》が差配している。以前は兄妹《きょうだい》の父母が、その役目をになっていた。

又兵衛に対座する右斜めまえには、鬼心斎の手足となって闇をつくってきた長身瘦軀《そうく》の弥右衛門《やえもん》がいる。年齢《とし》は五十三で、二十有余年のつきあいである。

思えば、弥右衛門との出会いが、すべてのはじまりであった。

鬼心斎は、杯をおき、弥右衛門に顔をむけた。

「忍《しのび》に見張らせておったのであろう」

弥右衛門がうなずいた。

「昨夜《さくや》、白酉《はくゆう》さまがわたくしめのところへおいでになり、囲碁《いご》を一局お相手いたしました」

鬼心斎は落胆のいろをうかべた。

「かつては、尾張柳生で竜虎と称されたほどの遣い手だったそうだな。竜虎も、永年《ながねん》の浪々で、そこいらの駿馬《しゅんめ》となりはてたか」

「御前、お察しのとおり、たしかに鷹森真九郎めはいまだに生きておりますが、勝ったは日下左門だそうにございます」

「どういうことだ。くわしく聞こうか」

鬼心斎は、いくらか身をのりだした。

たんたんと語っていた弥右衛門の顔に、真九郎の薙ぎを巻きあげて上段にとったところで口惜《くちお》しげな表情がよぎった。

「……そのまま斬りさげれば、鷹森真九郎は死んでおりました。ところが、肩をぴくぴくと上下させたかと思うと、手拭をだしてよこをむいたそうにございます」

「病か」

「はい。肥前《ひぜん》からの長旅でぶりかえしたようにございます。鷹森真九郎め、なんと悪運の強き者にございましょう」

鬼心斎は、口端《こうたん》に苦笑をにじませた。

「それを申すなら、武運であろう。弥右衛門、そちまで赤末《せきび》の鷹森真九郎にくしにそまるでない」

「おそれいります」

弥右衛門が、笑みをうかべ、かるく低頭した。

「それで、どうなった。鷹森真九郎が病んだ者を斬ったとも思えぬが」

「日下左門は切腹。かの者が介錯したそうにございます。ですが、そのまえに、しばらくふたりで話しあってたとのこと。わたくしめは、それがいささか気になっております」

「案ずるにはおよぶまい。赤末がことはどうだ」

「浪人らともども鷹森真九郎に斬られたとの話を、誰も疑ってはおりませぬ。かの者には、昨年の春このかた、百名余も手の者を失っておりますれば」

鬼心斎は、わずかに眉をつりあげた。

「それほどの数になるか」

「はい」

「赤未が憎んだのもわからぬではないな。だが、わが意に逆らう者は許さぬ」

「仰せのとおりにございます。赤未には、以前よりお言葉を返すような増長のきらいがございました」

「うむ、そうであったな」

鬼心斎は、手数をそろえて鷹森真九郎を襲いたいとの赤未の願いをしりぞけた。すると、赤未は、腹心がおのれの見張り役だとも知らずに、鬼心斎への不満をもらすようになった。

面従後言《めんじゅうこうげん》である。表裏なく服従せぬ者は、いずれ裏切りへとはしる。

黒子《こくし》は、北町奉行所の隠密廻りとひそかに会っていたので始末した。では、鬼心斎はいかにして黒子の裏切りを知りえたのか。赤未も、鬼心斎へじかに不満をぶつけたわけではない。

配下の組頭たちは、たがいの顔はむろんのこと、組頭が何名いるかさえ知らない。裏を返せば、おのれと似た立場の者がほかにもいるのを察していることになる。

そのひとりが、またしても鬼心斎の命によって始末されたとなると、よほどに愚かでないかぎり、おのれの周辺に見張りがいることに気づく。そして、当然ながら、配下の組頭にそのような愚物はいない。

鬼心斎は、杯を飲みほし、あらたに満たした。

姿勢がもどるのを待っていた又兵衛が、口をひらく。

「御前、なにゆえ、鷹森真九郎を多勢で始末するをお許しにならなんだか、お教え願いたくぞんじます」

「そちはどのように思うておるのだ」

「はっ。たやすくかたづけてはありがたみが薄れまする。たかだか三万五千石とはいえ、鮫島は国家老。しかも、瀬戸内にめんした四国の伊予。将来《さき》のことを思いますれば、なにかと使い道もあろうかと」

鬼心斎はほほえんだ。

「又兵衛、さすがよのう。いまひとつある。鷹森真九郎を斃《たお》せるほどの遣い手がおれば、その者に命じてあつめた浪人どもから手練《てだれ》を選《え》りすぐることも、意のままにあやつらせることもできる。しかけも、なにかとやりやすくなるしな」

「さようでござりましたか。御前の深慮、とうていそれがしごときが及ぶところではござりませぬ。感服いたしました」

「おだてるでない」

「いいえ、しんそこそのように思うておりまする。ついでながら、あらたに浪人どもの差配にした者は、なにゆえ青卯《せいぼう》でござりましょうか。それがしは赤午《せきご》であろうと愚考しておりました」

「北町奉行も、浪人どもの頭《かしら》は赤《せき》だと思うておったはずだ。それにな、又兵衛。そちは、あらたに差配にした者だとぞんじておる。が、北町奉行はどうかな」

又兵衛の顔を驚愕《きょうがく》がよぎった。

黒子の配下であった担売りを二組に分け、組頭にした黒亥《こくがい》と黒丑《こくちゅう》に差配させている。その両名と青卯には、黄坤《おうこん》こと又兵衛が頭目に扮《ふん》して会っている。

しかし、他の組頭には、あらたにひきたてた黄坤は四神《しじん》そのほかを差配するために黄《おう》艮《ごん》の弥右衛門がしたに配した町人だと思わせてある。

組頭の誰かが町奉行所に捕縛されたさいの配慮であった。

縄目をうけるようなしくじりをする者は古くからの組頭よりもあらたな組頭たちであろうと、鬼心斎は考えていた。

鬼心斎は、弥右衛門を見た。

「鷹森真九郎は、たしか二十八であったな」

「さようにござります」

「又兵衛、そのころのわしを憶《おぼ》えておるか」

「はっ」

又兵衛が眼をふせた。

「十左衛門《じゅうざえもん》は、わしにとっては父も同然であった。そちにも、心労をかけたな」

「めっそうもございませぬ」

十左衛門は又兵衛の父親である。

傑物であった祖父の代に三千三百石にまでなったが、もともとは二千七百五十石であった。

奈良《なら》奉行のときに、祖父は甲賀忍《こうがしのび》の若い十左衛門を召しかかえた。裏でじゅうにぶんに活用した祖父の手腕と、それによく応えた十左衛門の働きがなければ加増はありえなかった。

五百五十石の加増のうえになお、祖父は隠居所としてこの別墅《べっしょ》をたまわった。隠居した祖父は、十左衛門をともなって別墅にうつり住んだ。

しかし、祖父が亡くなると、父は影の者である十左衛門を煙たがり、呼びもどさなかった。それどころか、生まれたばかりの鬼心斎を厄介払いするかのごとく押しつけたのである。

幼いころは、季節ごとに本邸から用人がやってきて、十左衛門にあれこれ命じていた。

鬼心斎は、本邸の用人を、怖《おそ》れ、憎んだ。兄と体軀をおなじにするために、むりに食べさせられ、あるいは空腹をがまんさせられたからだ。

十左衛門は、学問と剣術の手ほどきをし、いずれ世にでたときのためですと励ましてくれた。

鬼心斎は、親身な十左衛門と、つねにそばにいてなにくれとなく世話をする又兵衛のために一心不乱に学んだ。

しかし、学問も剣術も上達するには師がいる。そのころの鬼心斎は思いつきさえしなかったが、本邸が師を招くための入用をだすはずもない。十左衛門がたよったのが、同郷である弥右衛門の父親であった。

二十四の春に妻を娶《めと》った兄がその年うちに嫡男をえてからは、食い扶持《ぶち》がとどくだけで、誰もたずねてこなくなった。

そして、鬼心斎が二十六のとき、慈父《じふ》ともいえる十左衛門が他界した。

十左衛門を喪《うしな》ったむなしさはたとえようもなかった。内奥にぽっかりと空洞を穿《うが》たれたかのようであった。

失意の日々をすごすうちに、鬼心斎は夜ごとに徘徊《はいかい》するようになった。又兵衛が、諌《いさ》め、懇願するのにも耳をかさなかった。

もはや表にでる望みはない。生涯を別墅でむなしく生きていくだけである。おのれの生になんの意味があるのか。腕のたちそうな者を見つけて命のやりとりをする。斬られるのであれば、それだけの運命だ。

数日後、迷い、ためらい、ひるむおのれを、鼓舞、叱咤《しった》して、鬼心斎は初めて人を斬った。

人を斬る感触は背筋が震えるほどの昂奮《こうふん》と快感であった。

殺すか、死ぬか。

肉を斬り裂く音。相手の苦悶《くもん》。

鬼心斎は、それが忘れられなかった。女体を抱くのとはまたことなるしびれるような感覚であった。

だからといって、熱にうかされるほど愚かではない。ほとぼりが冷めるまで待ち、生死をもとめて夜を彷徨《ほうこう》した。

はじめのうちは、斬ったのは武士だけであった。そのうちに、相手は誰でもよくなった。命乞いをしたり、逃げまどう者を追いつめて斬るのは、刀をまじえるのとはちがう残虐な喜びがあった。

又兵衛の決死の諫言《かんげん》と、しばしば吉原《よしわら》へ気散じにつれだしてくれた弥右衛門がいなければ、破滅への坂を転がりおちていた。

鬼心斎は、諸白とともに追憶を胃の腑《ふ》へ流した。

「又兵衛、鷹森真九郎を金子で誘ったは、かの者の心底を見定めるためだ。思ったとおり、三千両もの大金を言下に断りおった。わしは人を斬るのに魅入られたが、あやつはそうではあるまい。腕は鍛えることができる。が、あやつはまだ若い。心はどうかな。小出しに襲わせているは、どこまで耐えられるか、いや、いつまで正気をたもっておれるか、見てみたいからよ」

鬼心斎は、又兵衛から弥右衛門に顔を転じた。

「鮫島が、二百五十両をよこし、鷹森真九郎の始末をいそぐように申してきたのだったな」

「鷹森真九郎を討ちはたした者には二百両。それにわれらが手間と礼金もございます。それをつたえましたところ、さらに五百両をととのえるのでなんとしても始末してほしいと申してまいりました」

「家宝を京の商人《あきんど》に売って用意したのが八百両であったように思うが」

「おおよそでございますが、仰せのとおりで」

「また家宝を手放すわけか」

「おそらくは、そうなるかと」

「まえの五百両をくわえると、千二百五十両にもなる。唯一の跡継ぎであったというのならわからぬでもないが、外孫《がいそん》であろう。家宝は、そのように安易に手放せるものではあるまい」

弥右衛門が眉根をよせた。

「御前……」

「うむ。孫かわいさの老醜《ろうしゅう》かと思うておったが、ちがうやもしれぬ。上方《かみがた》につなぎをつけよ。家中における兵庫の立場。鮫島家と鷹森家は対立しておるのか。鮫島とその外孫の家とは、なにか特別のいわれがあるのか。鷹森真九郎は今治でどのような役にあったのか。許嫁《いいなずけ》であった妻女に横恋慕したは何者か。手間どってもかまわぬ、くわしくさぐるようつたえよ」

「かしこまりました」

「鷹森真九郎。たぐいまれな遣い手ではあるが……あるいは、ただの剣術遣いではないやもしれぬ」

「御前、どういうことにございましょう」

「符丁の意味を解《と》いたは北町奉行だと思うておったのだが、ちがうやもしれぬ」

「しかしながら、八丁堀《はっちょうぼり》にもぐりこませておる者によりますと、奉行が吟味方に教えたのだと、与力が自慢げに話しておったそうにございます」

「ながく奉行職にあるは、それだけ遣《や》り手との証《あかし》ぞ。それゆえ、よもや裏があるとは思わなんだが……。ぞんじておろう、わしも剣では滅多な者におくれをとらぬ」

弥右衛門と又兵衛が顔をこわばらせた。

又兵衛がつぶやく。

「鷹森真九郎」

「北町奉行が、わしが思うておるよりも切れ者なら、ありうる。桜井とか申す定町廻りも、なかなかな者だそうだな」

弥右衛門が首肯《しゅこう》した。

「はい。猿江町《さるえちょう》の御材木蔵よこの塒《ねぐら》までわざわざ手先に尾《つ》けさせましたにもかかわらず、幾日も見張りをつけておるだけで、奉行所にはなんの動きもありませんでした。御前、始末いたしましょうか」

「いや、たかが町方役人、ひとりではなにほどのこともできまい。それに、北町奉行をさらに用心させるだけだ。今治よりの報せがとどいたらいますこしはっきりするであろう。ところで、そめと申したな、わしの子はどうなった」

驚きの表情をうかべた弥右衛門と又兵衛が、眼を見かわした。

弥右衛門が訊いた。

「ごぞんじにございましたか」

鬼心斎の頰を、かすかな苦笑がかすめた。

「そちと又兵衛とが、たくらんだのであろう」

又兵衛がこたえた。

「御前、おそめが病と偽《いつわ》ってまで産みたがったのでござりまする」

鬼心斎の眼が、夜空の天の川にながれた。

「さようか。あの者が産むを欲したか」

弥右衛門が、いくらかかたちをあらためた。

「御前、男のお子で、矢吉《やきち》というお名でございます。霊岸島の岡っ引藤二郎《とうじろう》のもとにおりますが、とりもどしましょうか」

鬼心斎は首をふった。

「すておけ。赤児のおりから手もとで育ててこそ、情愛もわこうというものだ。そうは思わぬか」

「…………」

弥右衛門も又兵衛も、こたえられなかった。

鬼心斎は、ふたたびふたりから夜空に眼をやった。

牽牛《けんぎゅう》と織女《しょくじょ》でさえ、年に一度は会える。父に禁じられたのであろうが、母はたずねてくるどころか、便りすらよこさなかった。

幼きころは、寂しく思い、悲しくもあり、恨みさえした。しかし、いつのころからか、顔さえ知らぬ父母のことなど考えなくなっていた。死の報せにも、なんの感慨《かんがい》もわかなかった。

鬼心斎は眼をもどした。

「案ずるな。ひとかどの者ならば、放っておいてもおのずと頭角をあらわすであろう。くれぐれも申しておく。かまうでないぞ」

弥右衛門が低頭した。

「かしこまりました。御前、わたくしめのほうからも、申しあげておきたき儀がございます。浅草《あさくさ》の甚五郎《じんごろう》が、われらがことをさぐっておるようにございます。鷹森真九郎にたのまれてと思われます」

「何者だ」

「香具師《やし》の元締でございます」

「始末すればよかろう」

「お言葉を返すようでございますが、そればかりはお許し願います」

鬼心斎は眉根をよせた。

「なにゆえだ」

「甚五郎に手をだしますと、諸国の博徒にまで回状がゆきわたります」

「ほう、それほどの者か」

「江戸の元締は、すなわち諸国をめぐる香具師どもの総元締にございます。香具師は寺社とかかわりが深《ふこ》うございますれば、縁日や祭がありますゆえ、博徒も甚五郎には逆らえませぬ」

「なるほどな。博徒の用心棒どもをあつめられなくなるわけか」

「さようにございます」

鬼心斎は、杯に手をのばして飲み、あらたに注いだ。

「見張らせておけ。ちかづく者があれば、目先をかえる策をこうじる。やむをえぬおりは、その甚五郎と申す者に注進するまえにかたづけよ」

「承知いたしました」

「うむ」

鬼心斎は、ふと微苦笑をうかべた。

弥右衛門が訊いた。

「御前、いかがなさいました」

「わしの子を岡っ引にあずけたは、鷹森真九郎ではないのか」

「洲崎弁財天で、白酉さまの手の者が気《け》どられぬように遠くから見とどけておりました。いまわのきわのおそめと鷹森真九郎が、しばしなにごとか語りあっていたそうにございます」

「かの者は、わしの子だと知っておるな」

「まさか」

「いや、ぞんじておる。相違あるまい。わしの子と承知のうえで、岡っ引に託しおったのだ。ということは、弥右衛門、そちの名は知られておると思わねばなるまい。そのつもりで用心をおこたるでない」

弥右衛門が不敵な笑みをうかべた。

「心得ましてございます。ですが、御前。おそめは、わたくしめを伊《い》勢《せ》屋の弥右衛門だと思うております」

「そうであった。そちは、伊勢屋であったな。……又兵衛、そちはどうじゃ、ここでそめと同座したことはなかったように思うが」

「申しわけございませぬ。いま、考えておりましたが、しかとは憶えておりませぬ」

「まあ、よい。弥右衛門、白酉にたしかめよ、ふたりがどれほどのあいだ話をしておったのかをな。ふたりのようすもじゃ」

「かしこまりました」

鬼心斎は、口端をゆがめて皮肉な笑みをきざんだ。

「鷹森真九郎、そのほうとちがい、わしは女や子のために命をかけたりはせぬ。弥右衛門、あれのてくばりはできておるな」

「はい」

「いささかくふうをいたす」

鬼心斎は話した。

「……それでしかけよ」

「さっそくにも」

うなずいた鬼心斎の口から、笑いがこぼれた。

弥右衛門と又兵衛も、相好《そうごう》をくずして肩をゆする。

二十畳の座敷に、三人の笑い声がひろがっていった。

四

九日の夕七ツ半（五時）すぎ、真九郎は桜井琢馬に呼ばれた。

藤二郎のところの亀吉《かめきち》が迎えにきた。人なつっこい顔が、いかにも幸せげにかがやいていた。

真九郎は、着流しの腰に大小をさし、家をでた。

この日も秋晴れであった。

一歩斜めうしろをついてくる亀吉を、真九郎はふり返った。

「勝次《かつじ》とはうまくいっておるようだな」

辰巳芸者の勝次と亀吉は、いずれ夫婦《めおと》にと約した仲である。亀吉は二十三で、勝次は十八だ。

「毎朝《めえあさ》、会いに行っておりやす。旦那《だんな》、女ってのは、つくづく厄介《やっけえ》でございやすね」

亀吉の声は、嬉《うれ》しげにはずんでいる。

真九郎はほほえんだ。

「いかがしたのだ」

「へい。ごぞんじのように、親分にゃあ、願掛けのために永代寺《えいたい》へ行くってことでお許しをえておりやす。ゆっくりできねえのを知ってるくせに、あいつ、もうちょいいいてくれって、あっしをこまらせるんでさあ」

「おなごのことはよくは知らぬが、勝次はそのほうに甘えたいのではないのかな」

あからさまなのろけに、呆《あき》れもからかいもせずに耳をかたむけてまじめに応えるのは、真九郎くらいであった。

「そうですかい」

亀吉が青空のごときかろやかな声で訊いた。もっと話してほしいのだ。

「うむ、おそらくはな。たまには、しばらくいてやるがよかろう。藤二郎も、怒《おこ》りはすまい」

亀吉は知らないようだが、ふたりの仲については、桜井琢馬が藤二郎の耳にいれているはずだ。

「ありがとうございやす。あっしもそうしてえんでやすが、するってえと、そんだけ庖《ほう》丁《ちょう》の修業がおろそかになってしまいやす」

「たしかに修業はだいじだが、勝次に寂しい思いをさせてはなんにもなるまい。そのほうが心変わりしたのではないかと、気に病みかねぬぞ」

「旦那がそうしろとおっしゃるんでしたら、そうしやす。けど、旦那、親分にどやしつけられたら、お願《ねげ》えしやす」

「よかろう。勝次を悲しませるでないぞ。たいせつにしてやれ」

「へい」

真九郎は、亀吉ではなくおのれに言い聞かせていた。

染吉の死は、勝次にもふかい悲しみをもたらしたようだ。しかし、勝次には、心から案じてくれる亀吉がいる。

和泉《いずみ》屋裏通りのはずれまできた。

十世次《とよじ》の暖簾《のれん》をわけてとよがでてきて挨拶した。

真九郎は、笑顔でうなずいた。

とよは、真九郎の家の下女であった。藤二郎のところにいた政次《まさじ》と初夏四月の十九日に祝言をあげ、ここで一膳飯屋をやっている。

亀吉の夢は、政次ととよのような所帯をもつことであった。

新《しん》川によって南北に二分されている霊岸島には、東の大川のほうから三ノ橋、二ノ橋、一ノ橋と三つの橋がある。なかの二ノ橋をはさんだ北岸に、片町の四日市町《よっかいちまち》がほそながくのびている。和泉屋がある二ノ橋西がわの裏にあるのが浜町《はまちょう》で、二ノ橋からの通りをはさんだ東がわの裏にあるのが塩町《しおちょう》だ。

その塩町裏通りで、藤二郎は恋女房のきくに一膳飯屋の菊次《きくじ》をやらせている。菊次は辰巳芸者であったころのきくの名である。

菊次の奥が住まいだ。

格子戸をあけた亀吉が脇による。

さきになった亀吉が、よこの路地におれた。見世《みせ》との境に格子戸がある。

真九郎は、亀吉に眼でほほえみかけ、土間にはいった。

路地にめんした客間の障子が左右によせられ、桜井琢馬と、成尾半次郎《なるおはんじろう》と、藤二郎がいた。

五尺九寸（約一七七センチメートル）の真九郎も大柄だが、琢馬は六尺（約一八〇センチメートル）ちかい。年齢《とし》は三十七歳で、十六のときに見習となり、二十九で定町廻りになった。

半次郎は、五尺五寸（約一六五センチメートル）で、二十二歳。にがみばしった男っぷりの藤二郎は三十九。かつて深川一との評判であった美貌《びぼう》のきくとは十歳違いである。

真九郎は、路地を背にして半次郎の正面にすわった。

女中に食膳をはこばせたきくが、対角におかれた行灯《あんどん》に付木《つけぎ》で火をいれた。そして、真九郎に酌をして見世に去った。

諸白《もろはく》をはんぶんほど飲み、真九郎は杯をおいた。

顔をむけると、琢馬がときとして刃にもなる一重の眼をなごませた。

「佃島の死骸《しげえ》は、寺にはこばせ、財布ごとわたして、ねんごろに弔《とむら》うよう坊主にたのんだよ」

「雑作《ぞうさ》をおかけいたしました」

「腹を切ってたな。いってえ、どういうことだい」

真九郎は、左封じの果し状をもらったことからあますことなく語った。

話し終えても、三人とも口をつぐんでいた。ことに、半次郎と藤二郎は呆然《ぼうぜん》とした表情をうかべたままだ。

顎をなでていた琢馬が、つぶやいた。

「それほどの遣い手だったたってわけかい」

「ええ。日下どのが発作《ほっさ》におそわれなければ、斬られておりました」

「一刀流を相手にあやうく勝ったことがあったよな。今度は尾張柳生か。しかも、九州くんだりから呼びよせてる。やつら、古着の担売りをつかって六十余州に網の目を張りめぐらしてるってわけだ。しかし、世間はひろいって言うが、おめえさんを追いつめるほどの剣客がそんなにいようとはな。まったく、驚きだぜ」

「わたしなど、いまだ修行ちゅうの身です」

「おめえさんはいつもそう言うがな、おいらばかりじゃなく、お奉行もたよりにしてるんだ。じゅうぶんに用心してくれよ」

案じ顔の琢馬に、真九郎はうなずいた。

「ところで、桜井さん。嵯峨屋に声をかけていただいたようで、お礼を申します」

琢馬が、照れくさげにほほえんだ。

「やはり行ったのかい」

「ええ、まいりました」

日本橋室町《むろまち》にある浮世小路《うきよこうじ》で草履《ぞうり》問屋をいとなむ嵯峨屋の主治兵衛は、闇の手によって真九郎をおいつめるために殺された。

染吉を助けられなかった二日後の十八日、真九郎は下谷御徒町《したやおかちまち》の柳河藩十万九千六百石立花家の上屋敷から嵯峨屋によって治兵衛の倅《せがれ》に会った。

治兵衛の霊前に線香をたむけてから詫びを述べる真九郎に、倅が琢馬が前日たずねてきたと告げた。

琢馬は、真九郎のせいではないのであって、仇を討ってもらったのだから、くれぐれも恨んだりしないようにと話していた。

それでも、真九郎は、許してくれと頭をさげた。胸中は複雑であったろうが、倅は真九郎の謝罪をうけいれた。

それもこれも、琢馬があらかじめつたえてくれたおかげである。

真九郎は、おだやかな眼で見つめている琢馬から藤二郎へ顔をむけた。

「矢吉はどうしておる」

「数日はべそをかいておりやしたが、おまつもおりやすし、だいぶ慣れてきたようでやす。きくも、子ができたと喜んでおりやす。面差しが染吉……あっ、申しわけございやせん」

まつは染吉の家にいた下働きの老婆である。矢吉の子守として、藤二郎がそのまま雇った。

真九郎は笑みをうかべた。

「気をつかわないでくれ。わたしも染吉によく似ていると思う」

「へい。あっしも子はあきらめておりやしたから。鷹森さま、ほんとうにあっしらの貰《もら》い子にしてもよろしいので」

「矢吉をけっして侍にはしないでくれというのが、染吉の最期のたのみであった。父親は闇の頭目《とうもく》だ、めったな者に託すよりもここのほうが安心だと思うてな。それに、さて誰に、と考えたとき、まっさきにそのほうが頭にうかんだ。染吉の願いではないかな」

藤二郎が、表情をひきしめた。

「そこまでおっしゃっていただきありがとうございやす。ところで、気になるのは、その闇のことでやす。きくが大変心配《てえへんしんぺえ》しておりやす。鷹森さまは、矢吉をとり返しにくるとお考《かんげ》えでしょうか」

「それを案じていた。だが、いまだにその気配がない。染吉の話からすると、鬼心斎はみずからに矢吉という子があるを知らぬように思える。懐妊《かいにん》した染吉が病といつわってまで暇をもらいたがっているのを知った用人が、弥右衛門とはからってひそかに産ませた。ならばふたりは、鬼心斎には話しておらぬのかもしれぬ」

琢馬がつけくわえた。

「鬼心斎にゃあ、染吉が知らなかっただけで、どこかに嫡男がいるかもしれねえ。あるいは、養子をとらなけりゃならねえ義理があるかだ。さもなきゃあ、矢吉が五つになるめえだな。七つまで待たねえはずだ」

真九郎は首肯した。

「ええ。ご大身のお家柄のようですし、武家の子として育てるのであれば、五歳くらいが限度ではないかと、わたしも考えます。もうひとつ。闇をつくったときから、家名断絶の覚悟はできているはずです。それゆえ、懐妊を知ると町医者のもとにやって流させた」

「ありうるな。父親が鬼心斎だってことは、藤二郎とおきくしか知らねえ。染吉は可哀《かわえ》想《そう》なことをした。が、奴らのことだ、油断させておいて奪いにかかるかもしれねえ。あんだけかわいがってんだ、おきくのためにも矢吉は奴らにゃあわたさねえよ」

琢馬が、表情になみなみならぬ決意をみなぎらせた。

真九郎は訊いた。

「土佐守《とさのかみ》さまも、ごぞんじなのですね」

「ああ。矢吉の身元を知ってるのは、ここにおる者《もん》とおきく、それにお奉行と……」

琢馬が眼で問うた。

真九郎は首肯した。

「妻も知っております」

「藤二郎にそれとなく訊かせたんだが、おまつも知らねえ。つまり、矢吉の身元うんぬんがもれてきたら、奴らのしわざってことよ。そこからたぐっていきゃ、うまくすれば尻尾《しっぽ》を押さえられるかもしれねえ」

そこまでは考えなかった。

真九郎は、琢馬に顔をむけ、ほほえんだ。

「たしかに」

「染吉が呼びだされた料理茶屋の者《もん》にたしかめたんだがな、用人ってのはおおよそ六十めえだ。髷《まげ》はわずかで、鬢《びん》も白髪のほうが多い。痩《や》せてるってほどじゃねえが、小柄だ。おそらくは、盗人《ぬすっと》どもが、御前としてひき合わされた侍《さむれえ》じゃねえかと思う。弥右衛門のほうは、五十二、三くれえ。こっちは痩せてて細面《ほそおもて》、身の丈が五尺七寸（約一七一センチメートル）。料理茶屋じゃあ、京橋南伝馬町《みなみてんまちょう》の伊勢屋を名のってる。八丁堀からすぐそこだ。ふざけてやがるぜ」

「染吉も伊勢屋と申しておりましたが、符丁をもちいるほどの用心ぶかさです。あるいは、そうではないかと思っておりました」

「そのとおりよ。伊勢屋と稲荷《いなり》なら、お江戸じゅうにある。南伝馬町にも何軒もあるが、主か隠居が弥右衛門ってのはいねえ」

真九郎は眉をひそめた。

「用人は屋敷内にいるのですから、めったに表にでてくることはないでしょう。しかし、弥右衛門が商家の主か隠居でしたら、店《たな》への出入りの者がおります」

「ああ。おいらも、そいつにひっかかってる。用人だけでなく、なんで弥右衛門までできやがったのか」

「面体《めんてい》をさらしても、見つからない自信があった」

「だろうよ」

　琢馬が、半次郎に顔をむけた。

「わかるかい」

「いくつか考えられます。地所持ちで悠々自適の暮らしをしている者。江戸近在の大百姓。武士の変装……」

　半次郎が小首をかしげた。

　琢馬が藤二郎に眼をむける。

「おめえはどうだい」

「へい。あっしは、火事で死んだことになってる奴かもしれねえって考《かんげ》えておりやした」

「かもしれねえな」

　琢馬が顔をもどした。

「まだあるかい」

「ご公儀によほどの恨みがあるやに思います。闕所《けっしょ》（没収）によって財産ばかりでなく、家族までも喪《うしな》った」

「それが逆恨みじゃねえかもしれねえって言いてえんだろう」

「ええ」

「お奉行もおんなしことをおっしゃってたよ」

笑みをこぼした琢馬が、表情をひきしめた。

「それとな、不忍池《しのばずのいけ》の出合茶屋《であいぢゃや》は、お奉行の命で臨時廻りがさぐってるんだが、もうひとつはっきりしねえそうだ。店《たな》を構えてるんでなく、振売《ふりう》りや屋台、あの一帯《いってえ》にたむろしてる札付や半端者《はんぱもん》あたりだとすると、手間どるかもしれねえ」

「年寄の下男下女は」

「ああ、出合茶屋のほかにも、通り筋に何名《めえ》かいる。御用聞きの手下《てか》に交代で見張らせてるってことだ」

琢馬が、杯に手をのばして諸白を飲んだ。

真九郎は、しめ鯖《さば》の刺身を食べ、杯をとって喉をうるおした。

半次郎が杯を手にする。

西本願寺《にしほんがんじ》にちかい築地の南小田原町《みなみおだわらちょう》にある道場で、半次郎は直心影流を学んだ。宗家団野道場の師範代であり、すでに目録をえている真九郎の一挙手一投足を見習わんとしている。

半次郎に眼をやった藤二郎が、ほほえんで杯をほした。

琢馬が、しめ鯖を口にほうりこみ、注ぎたした諸白とともに喉仏《のどぼとけ》を上下させた。

かわった食べかただと、真九郎は思う。礼儀に厳格な国もとの父に見せたら、愕然とするであろう。

参勤交代の道中が予定どおりはかどったのであれば、先月の下旬には国もとに到着している。

――兄上と小四郎は、どうしているであろうか。

「どうかしたかい」

「いえ、なんでもありません」

琢馬が案じ顔になった。

「おめえさん、でえじょうぶかい」

「ええ、ご心配をおかけしました」

琢馬が表情をなごませた。

「そうかい。なら、話しておきてえことがあるんだ。神田永富町《かんだながとみちょう》にある煙草《たばこ》問屋については知ってるよな」

真九郎はうなずいた。

「勇太《ゆうた》が報せにまいっておりました」

藤二郎の手先では、二十歳の勇太がもっとも若く、亀吉についで足が速い。

御堀（外堀）にめんして幅十間（約一八メートル）の鎌倉河岸《かまくらがし》がある。名の由来は、江戸城築城時に相模《さがみ》の国鎌倉からはこばれる石材の荷揚げ場所であったことによる。寛政《かんせい》十一年（一七九九）正月の火事のあと、通りがひろげられた。

永富町は、その鎌倉河岸から一町（約一〇九メートル）ほど北にはいったところにある。

桔梗屋《ききょうや》という煙草問屋の店さきに厄除けの絵馬が吊《つる》してあるのを、見まわりをしていた定町廻りが見つけた。

翌日には、御用聞きの手先が裏の庭すみにある祠《ほこら》のちいさな鳥居におなじ絵馬が吊してあるのをたしかめた。

闇へのつなぎである。

「一昨日《おとつい》で、ちょうど十日よ。昨日《きのう》から絵馬はだしてねえそうだ」

琢馬が、懐からおりたたんだ半紙をだした。

「月番は南だが、こいつがあったんでこっちにまわってきた。で、おめえさんに見せるようお奉行に言いつかったってわけよ」

真九郎は、膝をすすめて半紙をうけとり、座にもどってひろげた。

――鷹森真九郎

書かれているのはそれだけであった。縦横《たてよこ》のまんなかにおりめがあるだけで、皺も血の跡も付着していない。

真九郎は、琢馬を見た。

「昨夜《ゆうべ》、辻斬《つじぎり》があった」

真九郎は、わずかに眉をひそめた。

「わたしの知り人でしょうか」

「深川元加賀町《もとかがちょう》の大黒屋《だいこく》って名に心あたりがあるかい」

真九郎は首をふった。

「いいえ」

深川元加賀町は、小名木《おなき》川から南に四町（約四三六メートル）ほど、横川からは西に二町（約二一八メートル）ばかりのところにある。

泰耀寺《たいようじ》山門ななめまえの大黒屋は、御膳料理屋である。一階ではかんたんな酒肴もだし、二階の座敷では会席料理が食べられる。

大黒屋の主は、名が助左衛門《すけざえもん》で、歳は五十。内儀は十年ほどまえに他界。出戻りの四十五になる妹が家内をみている。子は、二十四歳の嫡男と嫁いだ十九の娘のほかに、横川と小名木川が十文字にまじわる対岸の猿江村《さるえむら》の妾宅にもふたりの幼い娘がある。

助左衛門は、所用があるか雨でもふらぬかぎり、三日に一度は妾宅《しょうたく》で夕餉《ゆうげ》をとり、夜四ツ（十時）の鐘が鳴るまえに帰ってくる。

大黒屋から妾宅までは、おおよそ八町（約八七二メートル）。助左衛門は、妾宅にかようのに舟も駕籠もつかわなかった。

当人は足腰の鍛錬《たんれん》だと言っているが、出費を惜しんでであった。妾も、閨《ねや》にひきずりこんでいた女中が孕《はら》んだので、猿江村に地所を借りてちいさな寮を建てたのだった。しかも、下働きの者も雇わずに、すべてを妾にやらせている。

「……大黒屋は吝嗇《けち》で、ぬいって妹も気が強え。近所でもあんまし評判はよくねえし、下働きをふくめ、奉公人も長続きしねえ者《もん》が多いようだ。だがな、値段がてごろなうえ、料理が旨《うめ》えから繁盛してる。昨夜《ゆうべ》、四ツの鐘が鳴っても帰らねえんで、提灯《ちょうちん》をもって迎えにいった手代《てでえ》たちが見つけたってわけよ」

助左衛門の帰路は、猿江橋で横川を、新高橋で小名木川をこえる。

新高橋をわたると、横川に架かる扇橋《おうぎ》がある。扇橋をすぎた横川の両岸は、松や柳が植えられた土手がつづく。

助左衛門は、扇橋から一町（約一〇九メートル）あまりきたところで土手に俯《うつぶ》せで倒れていた。

ふたりいた手代の片方が自身番屋へ、もう片方が店に走った。

「闇の一件は北の扱いだ。しかも、おめえさんの名が書いてある。今朝早く、南の定町廻りがおいらのとこに届けにきた。左の袂《たもと》に、よごれぬように油紙で包んでいれてあったそうだ。おいらたちはすぐに自身番へ行ったんだが、助左衛門は背中に袈裟懸けをあびせられてた。通りにめんした店の者《もん》は悲鳴を聞いてねえってぬかしやがった」

ほんとうに発しなかったのかもしれないが、商家の者はおおむねかかわりあいをさけようとする。

真九郎はつぶやいた。

「なにゆえ、わたしの名を」

「わからねえことのひとつが、それよ」

「桜井さんは、大黒屋の殺しが桔梗屋とかかわりがあると思っておられる」

「とりあえずはな。ただし、おいらたちにそう思わせてるだけで、これまでのように誰かにもちかけたってこともありうる」

「門前仲町《もんぜんなかちょう》の稲葉屋《いなば》に青竜《せいりょう》の張り紙があったのは、土佐守さまを誘いだすのと、わたしを罠《わな》にかけるためでした」

「ああ。おめえさんのおかげでお奉行は助かったし、とんまな浪人が粂吉を斬るようなおおたわけをやらなけりゃあ、おめえさんもどうなってたかわからねえ。奴ら、またぞろ、なんかたくらんでやがる。おめえさんも、考《かんげ》えておいてもらえねえか」

「承知しました」

真九郎は、もとのように四つ折にした半紙を琢馬に返した。

琢馬が訊いた。

「もうちょい、いいかい」

「ええ、どうぞ。桜井さん、いま思いついたにすぎませんが……」

琢馬が、身をのりだした。

真九郎は、小首をかしげ、てのひらで琢馬を制した。

琢馬の眼が刃になる。藤二郎に顎をしゃくる。うなずいて腰をあげた藤二郎が、客間をでようとして叫んだ。

「待ちやがれッ」

裸足のまま土間にとびおりる。

格子戸が音をたてる。

きくが、板戸をあけ、土間にはいってきた。顔をこわばらせている。二階からも、若い手先たちがどたどたとおりてくる。

藤二郎は、すぐにもどってきた。

「逃げられてしまいやした。おそろしく足の速《はえ》え野郎で」

琢馬が訊いた。

「二本差しかい」

「町人のなりをしてやした」

「路地の入口に誰か立たせておきな」

「へい」

藤二郎がよこをむいた。

「勇太」

「親分、まかせておくんなせえ。みょうな奴がうろうろしてやがったら、あっしが追っかけてってとっ捕まえやす」

女中がすすぎをもってきた。

手先たちは二階へ去り、藤二郎も座におちついた。

琢馬が、きびしかった表情をなごませた。

「忍だな」

「まちがいありません」

「よく気づいたな」

「気配を消しておりました。お話ししようとしたことで、もしやと思っただけです」

「そうかい。さあ、聞かしてくんな」

「わかりました。なにゆえわたしを名指ししたのか。よもやとは思いますが、符丁の一件を疑っているのでは」

琢馬が、顔をこわばらせる。

闇の符丁を真九郎が絵解きしたことについては、老中《ろうじゅう》や若年寄《わかどしより》をはじめとして、寺社奉行、勘定奉行、それに大目付という幕府の要人全員が知っている。

真九郎は、ちいさくうなずいた。

琢馬がつぶやいた。

「まさかとは思うが、ここで聞き耳をたててた。ありえなくはねえな。……こいつぁ、あとで、お奉行にご報告しなきゃあならねえ」

半次郎が遠慮がちに訊いた。

「桜井さん、どういうことでしょう。闇の符丁の謎については、お奉行がお解きあかしになったとうかがっておりますが」

琢馬の顔にためらいがうかんだ。が、すぐさま決意にとってかわった。

「半次郎、こいつはひとにぎりしか知らねえ秘中の秘だ。たとえ、おめえの親父《おやじ》どのにであっても、けっしてもらしちゃあならねえ。わかったかい」

いずまいを正した半次郎が、ゆるぎのない眼差で琢馬を見た。

「かしこまりました」

「隠密廻りだった吉沢《よしざわ》さんが、闇に殺された一件はおめえも知ってるだろう」

「はい」

「吉沢さんが帯のしかけに隠してあった紙切れを、吟味方をはじめおいらたちはみんな、黒子《ほくろ》だと思ってた。そいつを、黒子《こくし》って読み、闇の仕組み図を絵解きしたんは、この旦那よ」

眉をひそめぎみにしていったん畳に眼をおとした半次郎が、ふたたび琢馬に顔をむけた。

「闇に知られないために、お奉行だということにした。そのために、お奉行は慧眼《けいがん》をおそれた闇にお命を狙われている」

「そのとおりよ。おいらは、お止めしたんだがな」

「一大事です。もしそうなら……」

半次郎が、絶句した。

「そうかもしれねえが、そいつはどうかな。この旦那にたいする奴らのやりようには、もうひとつ裏があるような気がする」

顔をむけた琢馬に、真九郎はうなずいた。

「名指しすることで、さぐりをいれているだけかもしれません」

「ああ。だとするなら、お奉行にはご報告しなきゃならねえが、おいらたちがへたに騒がねえこった。ところでよ、赤未《せきび》のことなんだが、奴ら、斬らずともよかったはずだよな」

「ええ、わたしもそう思います。忍ふたりで、護《まも》りながらしりぞけました」

「なのに、あえて斬ってる。おいらの考《かんげ》えから聞いてくれ。赤未はかどわかしをたくらんでいた。むろん、頭目の許しをえてだ。だが、頭目は、そのいっぽうで、赤未の配下に腕の劣る浪人どもをつけるようになった。そして、あらたに青卯《せいぼう》がおめえさんを狙いはじめた。つまり、頭目は、おめえさんに斬られたようにみせかけて赤未を始末した。ちがうかい」

「おっしゃるとおりだと思います。わたしは、こういうことではないかと考えました。黒子は闇を裏切ろうとして消された。赤未はわたしを恨んでおりました。わたしへのやりかたで、不満があったのではないでしょうか。黒子がそうであったように、赤未も見張られていた。忠誠心に曇りが生じると、異心につながりかねません。しかしながら、赤未までおのれらの手で始末しては、ほかの符丁をもつ者たちに疑念をいだかせることになります」

「さすがにおめえさんだな、安心したぜ。おいらもそうだと思う。よし、お奉行にお会いしなくちゃあならねえ。行くとするか」

通りはすっかり暗くなっていた。

弓張《ゆみはり》提灯をもった藤二郎のあとに、琢馬をまんなかにして三人でならんだ。

琢馬が遅くなったのを詫びた。真九郎は、首をふり、気づかいに礼を述べた。

真九郎を追いつめるために嵯峨屋が犠牲となり、染吉も助けきれなかった。なによりも、雪江を傷つけてしまった。

内奥ふかくを悔恨の針が刺している。が、気にかけてくれている琢馬たちに知られてはならなかった。

毎月、十日と二十日と晦日《みそか》は、本所亀沢町《ほんじょかめざわちょう》の団野道場に行く。

翌十日、稽古後の酒宴もすませ、真九郎は蛇の目傘をさして道場をあとにした。

秋になって最初の雨であった。闇夜から、音もなく小雨がふっていた。用心しながら帰路をとったが、襲撃はなかった。

十二日、中食《ちゅうじき》をすませて雪江とふたりで茶を喫していると、表の格子戸が開閉した。

「旦那、いらっしゃいますかい」

勇太だ。

廊下にでた真九郎は、厨《くりや》の板戸をあけた下男の平助《へいすけ》を手で制して戸口にむかった。

勇太が、緊張した面持ちで土間に立っていた。

真九郎は訊いた。

「なにがあったのだ」

勇太が声をひそめた。

「昨夜《ゆうべ》、二箇所で辻斬がありやした。両方とも、まえとおんなし書付《かきつけ》があったそうで。

お報せするよう、桜井の旦那に申しつかりやした」

「ご苦労であった」

「へい。あっしはこれで。ごめんなすって」

勇太が、辞儀をして格子戸をあけた。表でふたたび頭をさげ、格子戸をしめて去った。

——三箇所でおなじ書付。いったい、なにをたくらんでいるのだ。

首をひねったが、なにも思いうかばなかった。

第二章　辻斬の謎

一

十四日も雨だった。

ひと雨ごとに、残暑が去り、秋のけはいが濃くなっていく。

夕七ツ（四時）すぎ、桜井《さくらい》琢馬《たくま》がひとりでたずねてきた。

客間に招じいれ、雪江《ゆきえ》と下女のうめが食膳をはこんでくるまで天気の話をしていた。

未明からの雨に、そよ風も湿り気をおびて涼しく、諸白《もろはく》は燗《かん》がしてあった。

客間の障子はあけたままだ。雪江とうめが廊下を去ると、琢馬がにこやかな表情を消した。

十一日に辻斬《つじぎり》があったのは、芝《しば》の浜松町《はままつちょう》と、山谷《さんや》の日本堤である。

増上寺《ぞうじょうじ》にちかい浜松町は一丁目から四丁目まであり、一丁目と二丁目とのあいだに増上寺の大門《だいもん》へいたる大通りがある。殺されたのは、その大通りにめんした二丁目で茶漬け料理屋をいとなむ二葉《ふたば》屋の主だ。

主の名は庄兵衛《しょうべえ》で、歳《とし》は四十九。寄合があった深川《ふかがわ》の料理茶屋からの帰路を襲われている。

新堀《しんぼり》川に架かる金杉《かなすぎ》橋よこの桟橋で猪牙舟《ちょきぶね》をおり、浜松町四丁目から三丁目とすぎ、二丁目とのかどで背後からの一太刀をあびせられていた。夜四ツ（十時）すぎにとおりかかったちかくの裏店《うらだな》に住む左官が見つけた。

日本堤で辻斬に遭《あ》ったのは、浅草御蔵前森田町《あさくさおくらまえもりたちょう》の札差山城《ふださしやましろ》屋の主文右衛門《ぶんえもん》である。歳は四十四。吉原《よしわら》からの帰りであった。

吉原をでたのが、夜五ツ半（九時）じぶん。駕籠舁《かごかき》ふたりも斬られていた。いずれもみごとな斬り口であったという。

日本堤には、葦簀《よしず》張りの出茶屋がいくつもある。しかし、ほとんどが宵とともに見世《みせ》をしまう。

吉原がよいの足が絶えると、土手の道は帰り客をのせた駕籠がときおりとおるだけでいっきょに寂しくなる。

見つけたのは、吉原で客をひろった駕籠舁であった。

ふたりとも、横川ぞいで殺された大黒屋《だいこく》とおなじく袂《たもと》に油紙で包まれた半紙があった。墨痕《ぼっこん》は、同一人物のものである。

殺《あや》めた者の袂に、真九郎《しんくろう》の名を記した書付《かきつけ》を残す。闇のほかに、考えられない。

闇が金子《きんす》で人を殺めるのは、いまやあまねく知れわたっている。にもかかわらず、おのれらのしわざだとあかす。

意図はなにか。三件とも同一人の依頼によるものなのか。あるいは、狙いはひとりで、残りふたりは目くらましか。

厄除けの絵馬をだしていた桔梗屋《ききょう》は、神田《かんだ》の煙草問屋。殺された深川の大黒屋と芝の二葉屋は料理屋だが、浅草御蔵前の山城屋は札差である。場所は離れており、商いにつながりがあるとも考えにくい。

北町奉行の小田切土佐守直年《おだぎりとさのかみなおとし》は、臨時廻りのひとりに辻斬三件の探索を命じたとのことであった。

南北両町奉行所とも、定町廻りと臨時廻りが六名ずついる。臨時廻りは、定町廻りをへた熟練の探索方が就《つ》く。

むろん、琢馬は藤二郎《とうじろう》たちに大黒屋を調べさせ、二葉屋と山城屋についても持ち場の定町廻りがあたらせている。臨時廻りを中心に、夜ごと判明したすべてがあつめられ、検討することになった。

殺害された三人は、誰かに恨まれていなかったか。知り人やたちまわりさきはかさなっていないか。さらに、桔梗屋とかかわりがあった者は――。

桔梗屋の主の名は久兵衛《きゅうべえ》で、歳は五十五。娘に婿を迎え、三歳と一歳の男子の孫がある。

この日から、店さきにべつの絵馬が吊《つる》してある。十日でいったん絵馬をひっこめたことといい、庭すみにある祠《ほこら》まえの鳥居にも絵馬があったことからして、闇へのつなぎであるのは疑いない。

だが、幼い孫たちの健勝を願い、厄除けの絵馬を吊したとの言いわけがたつ。

久兵衛も、温厚な人柄で、近所や出入りの者たちの評判も悪くない。五十まえに妻を亡くしているが、妾《めかけ》をもつこともなく独り身をとおしている。婿も働き者で、家内は円満である。

しかし、その平穏な桔梗屋にも、影があった。

十二年まえに、長女が身投げで亡くなっている。小町娘と評判の縹緻《きりょう》よしで、十五歳であった。

そこになにかがある。三女が婿をもらい、孫もできた。歳月が、娘を喪《うしな》った傷をいやしていた。

闇の出現が、埋《うず》み火をかきたてたのだ。

金子で恨みをはらすことがかなう。闇は、善良な者たちの心を悪鬼《あっき》のささやきで惑わす。

桔梗屋の娘は、なにゆえこれから咲き誇る十五の花をみずから散らしたのか。

おおっぴらに訊《き》いてまわるわけにはゆかない。

いま、そのころ奉公していた女中を桔梗屋にさとられぬように捜しているとのことであった。

喉をうるおした琢馬が、杯をおき、眉間《みけん》をよせた。

「……ただな、わからねえことがある」

「お話からして、桔梗屋は手堅い商いをしており、座頭金《ざとうがね》に手をだしていたとは思えない」

「そのとおりなんだ。そいつがどうにも解《げ》せねえ」

闇は、四神《しじん》の名をかたらせた盗人一味に座頭の高利貸しを襲わせ、金子とともに奪った証文を返していた。

「いまでは、裏店《うらだな》の者までが闇のことを知っております」

「ああ。だが、つなぎのしかたまでは知られちゃいねえ。誰かが教えるか、訊くかしたはずだ。ということは、そいつは桔梗屋が殺したいほど恨んでる者《もん》がいるのを知ってることになる」

「人を殺めるのに手をかすことになり、みずからもお縄になってしまう」

「そういうことよ。十二年もめえだぜ、なにをしたって死んだ娘が生き返るわけじゃねえ。それどころか、生きてる娘や孫をまきこむことになる」

「そのおり、桔梗屋はよほどに口惜《くちお》しき思いをしたに相違ありません。その恨みがはらせる。怒りや憎しみにとらわれると、人は我を失います」

「桔梗屋はそうかもしれねえが、教えた奴にゃ分別があるはずだ。待てよ。……そいつも、桔梗屋とおんなしくれえに相手を恨んでるかもしれねえな」

「そうですね、ありえます」

「いずれにしろ、桔梗屋とは昵懇《じっこん》の間柄にちげえねえ。そのことについちゃあ、今宵話しておくよ。ところで、おめえさんにたのみがあるんだ」

「なにごとでしょう」

「お城への往復のほか、お奉行は他出《たしゅつ》をひかえてなさる。が、明後日《あさって》の十六日は、陽がおちてからでかけなけりゃならねえそうなんだ」

　真九郎はうなずいた。

「わかりました。お供をします」

「すまねえな」

「お気づかいなく」

「おいらが行っても役にたたねえ。それでなくても、辻斬の件で宵はふさがってる。半《はん》次郎《じろう》を迎えによこすから、早めに夕餉《ゆうげ》をすませて待っててもらえねえか」

「承知しました」

　琢馬がほほえみ、諸白を注《つ》ぎ、箸をつかった。

　日暮れがしのびよりはじめた庭で、霧雨がそよ風にながされていた。


　十五日は盂蘭盆会《うらぼんえ》である。十三日の宵に苧殻《おがら》で迎え火を焚《た》き、十六日の朝におなじく苧殻で送り火を焚く。

　盂蘭盆会のあいだは、通りにめんした表店《おもてだな》には提灯《ちょうちん》が飾られる。

　晴れておれば、夜空には満月があり、提灯で明るい通りをそぞろ歩きする若い男女《なんにょ》を眼にすることができる。

だが、十五日もあいにくの雨であった。

この日、真九郎と雪江は、神田駿河台《するがだい》の寺田《てらだ》家にまねかれていた。旗本四百五十石の寺田家は、雪江の母の実家《さと》である。

昼になっても、ふりつづける雨はやむようすもなかった。

真九郎は、平助《へいすけ》を使いにやって駕籠を二挺《ちょう》呼んだ。

町家の通りは踏み固められて水はけもよい。しかし、武家地はぬかるみが多かった。御家人はもとより旗本もおおむね窮しており、家屋敷の修繕すらままならない暮らしむきを余儀なくされていた。

武家は対面をたもたねばならないので、寺田家もけっして裕福ではない。

雪江の弟子筋がいろいろな品をもってくる。真九郎は、使いきれないぶんを寺田家へとどけさせていた。

家長の八郎左衛門《はちろうざえもん》と嫡男の平十郎《へいじゅうろう》に歓待され、霊岸島《れいがんじま》へ駕籠でもどってきたのは夕七ツ半（五時）ごろであった。

雨は大降りになっていた。

夕餉のあと、真九郎は国もとの方角に躰《からだ》をむけ、うしろにひかえている雪江とともに手を合わせた。そして、酒肴《しゅこう》の用意をさせ、雪江の母の静《しず》女と兄の小祐太《こゆうた》のことを語りながらすごした。

真九郎は、雪江にもすすめた。

二口ほどで、雪江は頰とうなじをほんのりとそめた。

宵がふかまるほどに、雨は激しさを増した。戸締りをさせて寝所でよこになったころには、強い雨脚が屋根瓦を叩《たた》いていた。

ほどなく、雷鳴がとどろいた。雷神の太鼓が雨音を圧する。

轟《とどろ》きだしたとたんに、真九郎は跳ねおきた。恐怖に眼を見ひらき、唇を震わせた雪江が、胸にとびこんできた。

ちかくで、いちだんとおおきな雷鳴が雨を切り裂いた。

眉間をよせてかたく眼をとじた雪江が、両手で耳をふさぐ。

真九郎は、震えている雪江を抱きしめた。腕のなかにいるのは、真九郎がよく知っている以前の雪江であった。

愛《いと》おしさと、甘美な思いが胸をみたした。

ひとしきり暴れた雷神が、しだいに遠ざかっていった。

それでも、真九郎は雪江を抱きよせたまま背中をなでていた。

やがて、雪江がささやいた。

「わたくしだけでは、不満にございますか」

涙声だった。

真九郎は胸がつまった。

「愚かであったと、心から悔いている。どうか許してほしい。雪江はわたしの命だ、ほかに望むものはない」

「…………」

「まことだ。二度と迷ったりはせぬ」

「うれしゅうございます」

「悲しい思いをさせ、すまなかった」

腕のなかで、雪江が首をふった。

真九郎は、雪江の顎《あご》に手をそえ、上向かせた。

瞳が、涙で濡《ぬ》れている。

唇をかさねる。

雪江が、たしなみを捨て、背に両手をまわして胸を押しつけてきた。


翌日は秋晴れであった。

江戸の空は、まぶしいほどに青く澄んでいた。

昼八ツ（二時）の鐘が鳴ってほどなく、表の格子戸が開閉した。

おとないをいれずに黙ってるのは、柳橋《やなぎばし》の平右衛門町《へいえもんちょう》にある船宿川仙《かわせん》の船頭徳助《とくすけ》だけだ。

六尺（約一八〇センチメートル）余の巨漢で、鬼瓦のごときいかつい面貌《めんぼう》の持ち主だが、声が甲高いのでめったに口をきかない。目尻がおちるので、笑うこともなかった。

真九郎は、平助を制して上《あが》り口《くち》にむかった。

徳助が、ぺこりと辞儀をして懐《ふところ》から文《ふみ》をだした。

真九郎は、うけとってひろげた。

甚五郎《じんごろう》が、明日《あす》の下屋敷道場からの帰りは徳助の舟で迎えに行きたいがと承諾をもとめていた。

文をおって懐にしまい、真九郎は徳助に笑顔をむけた。

「承知したとつたえてくれ」

いったん顎をひいた徳助が、あらためて頭をさげ、格子戸を開閉して脇道へ去っていった。

甚五郎の用向きが、真九郎はおおよそ見当がついた。

十四日から十六日までの三日は、道場も雪江の手習いも休みであった。

真九郎は居間にもどった。

雪江が上目遣いに見あげた。

朝から、そばを離れようとしない。

盂蘭盆会に肌をまじえることへのためらいはあったが、昨夜はなりゆきでそうなった。おなじ思いとみえ、ときおり真九郎を見る雪江の眼にかすかな羞恥があった。今治《いまばり》から江戸へ旅をしたころのようだと、真九郎は思った。

雪江が妻としてかたわらにいることに慣れすぎていた。

終生だいじにすると心に誓い、不安を胸に旅をしたころを忘れてはならない。運命の転変がなければむすばれる相手ではなかった。おのれがいかに果報者かを肝に銘じるのだ。

真九郎は、みずからに言い聞かせ、雪江にほほえみかけた。

「明日《あす》は、甚五郎が山谷堀まで迎えにくるそうだ。辻斬について訊きたいのであろう。遅くはならぬと思う」

「はい」

真九郎は、もとのところにすわった。

秋のやわらかな陽射しがふりそそいでいる。

雪江が、眼差《まなざし》をおって庭に顔をむけた。

昨日までは、日向《ひなた》よりも日陰のほうに眼がいった。おのれの心中にやましさがあったからだ。

真九郎は、雪江との仲がまた陽溜《ひだま》りにうつるのを願った。

人の気配に、真九郎は廊下をはさんだ六畳間のかどに眼をやった。

宗右衛門《そうえもん》が姿をみせた。

なごやかな顔でまっすぐにやってくると、かるく低頭した。

「鷹森《たかもり》さま、おくつろぎのところを申しわけございません、よろしいでしょうか」

真九郎はうなずき、客間へ行った。

客間まえの沓脱石《くつぬぎいし》からあがってきた宗右衛門が、庭を背にして膝をおった。

「晴れてよかったな。昨日《さくじつ》のような雨なら、送り火もたいへんであったろう」

「お気にかけていただき、ありがとうございます」

宗右衛門は、先妻のほかに、闇にたのんでおのれの命を狙った娘と倅《せがれ》を喪《うしな》っている。

かるく低頭した宗右衛門が顔をもどした。

「鷹森さま、お盆がすみましたら、おたずねしたいと思っていたことがございます。増上寺門前の二葉屋さんが、辻斬に遭われたのはごぞんじでございましょうか」

　真九郎は訊きかえした。

「ぞんじおりの者か」

　宗右衛門が肩をおとした。

「やはり、かの者どものしわざにございましたか。お気の毒に。はい、二葉屋さんには、お酒ばかりでなく味噌《みそ》も醤油《しょうゆ》も手前どもでお納めさせていただいておりました」

「そうであったのか。和泉屋さんの知り人であったとはな」

　宗右衛門が眉をひそめた。

「ですが、鷹森さま。御番所を疑うわけではございませんが、いまださほど日もたっておりません。いったいどのようにしてかの者どもが所業だとわかったのでしょうか」

　宗右衛門はあいかわらずするどい。

　真九郎は、すばやく判断をめぐらせた。

「和泉《いずみ》屋さん、他言無用に願いたいのだが、ほかにも二箇所で辻斬があり、いずれも袂に書付がいれてあったそうだ」

「なにゆえそのようなことを。たのんだ者がいるのをあかすようなものではございませんか。手前にはわかりかねます」

「桜井どのも、首をひねっておられた。和泉屋さんは、二葉屋とは親しかったのかな」

「手前は、たまにご挨拶をするていどにございました」

「闇の眼が光っておると考えねばならぬので無理は禁物だが、二葉屋の家内のようすや、商いその他で敵はいなかったか、できれば知りたいのだが」

「出入りしております手代《てだい》がぞんじておるやもしれませんので、あとで訊いてみることにいたします」

「くれぐれも申しておくが、知っておることだけでよい。先方へまいって、あれこれたずねたりしてはならぬ」

「かしこまりました」

低頭してなおった宗右衛門は、困惑の表情をうかべていた。

「じつは、お邪魔しましたのはお願いもあってにございます。ご内儀をお弟子入りさせている主たちに、一度ご挨拶しただけなので親しくお話しできる場を設けてほしいとたのまれておりますす。よき季節となりましたので、大川に涼み舟を浮かべてはどうかと思案いたしておりました。またぞろかの者どもがなにごとかたくらんでおるとしますと、ご無理でございましょうか」

「闇との戦いは、いつ果てるともしれぬ。わたしはかまわぬが、当日になって都合がつかぬこともありうる。それは了解してもらえぬか」

「むろんにございます。それでは、みなさまがたと日取りを決めさせていただきます。鷹森さま、ご承知いただきお礼を申します。これにて失礼させていただきます」

宗右衛門が、膝に両手をおいて低頭した。

真九郎は、庭を去っていく宗右衛門を廊下で見送った。

陽が西にかたむき、日暮れのけはいが濃くなりはじめたころ、成尾《なるお》半次郎がきた。

したくはできていた。

差料《さしりょう》のなかではもっとも切れ味のするどい二尺四寸（約七二センチメートル）の筑後《ちくご》を腰にさし、雪江の見送りをうけて家をでた。

霊岸橋をわたって、八丁堀島《はっちょうぼりじま》をつっきる。海賊橋《かいぞくばし》をこえて日本橋にちかづいたところで、暮六ツ（六時）の鐘が鳴った。

日本橋から三町（約三二七メートル）ほどで御堀（外堀）につく。

ちかづいてくる半次郎にうなずいた町奉行所の小者が踵《きびす》を返して小走りに駆けていった。

小者がいた呉服橋《ごふくばし》のたもとで、半次郎が立ちどまった。

「ここで待つように申しつかっております。お奉行はすぐにまいります」

「わかりました」

「それと、年番方の与力さまより言付《ことづ》けがあります。これまでの詮議《せんぎ》からも、捕らえた浪人たちは闇についてなにも知りません。斬り捨ててかまわないので、お奉行をお護《まも》りするをだいいちとしてほしいとのことです。ご老中さまから、内々のお達しがあったそうにございます」

「心得ました」

通常であれば、科人《とがにん》は殺さずに捕らえる。だから、同心は捕物では刃引《はびき》の刀を腰にする。

しかし、公儀に刃向かう者には容赦がない。

あたりは急速に薄暗くなりつつあった。御堀にそったひろい通りのむこうを、町家の者たちが足早にゆきかっている。

通りにめんした商家は、食の見世のほかは暮六ツの鐘で店仕舞いをする。灯《あか》りをともすのがもったいないからだ。

ほどなく、呉服橋御門から提灯を先頭にした行列がでてきた。

橋をわたって半次郎から真九郎に眼をうつした供侍が、口端《こうたん》に親しげな笑みをうかべて力強く会釈した。

面識はない。聞かされたのであろう。

真九郎は、答礼した。

闇の一味が襲ってくるにしても、人通りが絶えてからだ。真九郎と半次郎は、行列の最後尾にならんだ。

供侍はいずれも羽織《はおりはかま》袴姿だが、半次郎はいつもの着流しに黒羽織で、真九郎は袴だけであった。刀をまじえるのに、羽織は邪魔になる。

行列は、日本橋川に架かる一石《いちこく》橋をわたり、そのまま御堀ぞいをすすんだ。

一石橋の名の由来は、江戸庶民の洒落《しゃれ》好きから、橋の両側に金座の後藤《ごとう》と呉服商の後藤の屋敷があったので、五斗と五斗をたして一石なのだということになっている。しかし、実際は、寛永通宝《かんえいつうほう》を造った幕府が、それまで流通していた永楽銭《えいらくせん》の使用を禁ずるための処置として橋のたもとに米俵を積み、永楽銭一貫文《かんもん》と米一石とを交換したことによる。

町奉行の他出は、陸尺《ろくしゃく》（駕籠舁）四人をふくめて二十五、六人の供回りになる。だが、この日は、槍《やり》一本だけで、挟箱《はさみばこ》も騎馬もなく、真九郎たちをいれても総勢十四人であった。

お忍びなのだ。

つぎの竜閑橋《りょうかん》をすぎると鎌倉河岸《かまくら》である。

町家は鎌倉河岸までだ。

いっきょに人通りが絶えた。

左よこの半次郎が顔をむけてうなずき、行列の左にでて歩調を速めた。真九郎も、右がわにでて半次郎にならんだ。

駕籠脇に達したところで、歩みを行列にあわせる。警固《けいご》していた供侍たちが、一揖《いちゆう》してしりぞいた。

武家地は、夜の底に沈まんとしている。

神田橋御門外をすぎ、やがて先頭が右におれて錦小路《にしきこうじ》にはいった。

――まずい。

真九郎は内心でつぶやいた。

錦小路の左に、樹木が蒼穹《そうきゅう》に黒々と枝をのばす数千坪の馬場がひろがっている。そこなら、樹木の幹や灌木《かんぼく》の陰など、ひそむ場所はいくらでもある。

ひとつてまえの通りをまがっても駿河台へ行くことはできる。供の者は、当然そちらの道順を進言したはずだ。

小田切土佐守は、江戸の治安をあずかる町奉行の職にある。死を賭《と》して闇に挑《いど》む覚悟を、真九郎は目《ま》のあたりにする思いだった。

馬場にそって歩いている半次郎が、そっと左手を鯉口《こいぐち》にそえた。横顔が緊迫にこわばっている。

真九郎も、あたりに気をくばった。

背後の御堀端に辻番所があるだけだ。

錦小路は人影もなく、夜の底に道がほの白く浮いている。供侍や小者たちも、いちようにに緊張していた。

二町（約二一八メートル）余の馬場脇をなにごともなくとおりすぎた。

供の者たちから、ほっとした気配がつたわってきた。

馬場をすぎたあたりからなだらかな上り坂になった。つきあたりの丁《てい》字路を左におれ、すぐのところを右にまがる。

急勾配《きゅうこうばい》の富士見坂《ふじみざか》だ。

駿河台一帯は、家康が江戸にはいったころは神田山であった。山を削り、日比谷《ひびや》入江を埋めて城下町を造成した。

南北にのびる富士見坂をのぼりきると、道は西のほうへむかう。そのつきあたり三叉《さんさ》路《ろ》てまえ右の屋敷が訪問さきであった。

土佐守の一行が開門した門内にはいり、門扉がとざされるまで待ち、真九郎は半次郎に案内されて三叉路よこの辻番所に行った。

半刻（一時間）あまりで、小者が報《しら》せにきた。

ふたりはいそいで門前にもどった。

真九郎は、半次郎に顔をむけた。

「襲撃があるとすれば、馬場のあたり。わたしがそちらがわをかためます」

「お願いします」

たがいにうなずき、門の両脇にわかれた。

門があいた。

一行がでてきた。

真九郎は、駕籠の右よこにしたがった。

辻番所で夜五ツ（八時）の鐘を聞いた。夜陰の武家地は、いちだんと静まりかえっていた。

雲間からでてきた薄黄色の十六夜《いざよい》月が、夜を蒼《あお》くそめ、夜道を白く照らしている。

富士見坂てまえに左におれる道がある。四町（約四三六メートル）たらずで鋭角の谷になっており、そのあたりから水道橋《すいどう》にかけてが神田川の景勝である。

その道を、片方が弓張提灯《ゆみはりぢょうちん》をもった羽織袴姿の武士二名が歩いてくる。

行列は富士見坂をくだった。

坂をおり、左にまがるさいに、真九郎はちらっと眼をやった。坂のなかほどに、さきほどの武士二名の姿があった。

一町半（約一六四メートル）ほどさきからも、こちらにむかって武士二名が歩いてくる。

錦小路におれながら、真九郎は富士見坂のさきを見た。

馬場へ行く丁字路のかどから、やはり羽織袴姿で片方が弓張提灯をもった二名があらわれた。

真九郎は、歩きながら駕籠により、小声で言った。

「お奉行さま、うしろから六名の者がついてまいりまする」

「やはりあらわれおったか。たよりにしておる」

「およばずながら、死力をつくしまする」

半次郎が、顔をむけ、力強くうなずいた。

陸尺も供侍も、いちようにに緊張した表情をうかべている。

真九郎は、前方に気をくばった。あからさまに姿を見せて三方向からついてきた。背後に注意をむけさせるためだ。

先頭と馬場のかどとの距離が五間（約九メートル）ほどになったとき、真九郎はするどい声を発した。

「とどまれ。お駕籠を、そこの塀ぎわへ」

すばやく塀ぎわへ移動した駕籠の前後に、陸尺四名と槍持ちに草履取《ぞうり》りがかたまる。

残り六名の供侍が、駕籠を背にした。

真九郎は、懐からだした紐《ひも》で襷《たすき》をかけて股立《ももだち》をとった。

「成尾さん、馬場のほうが多勢かと思われます。うしろをたのみます」

「承知しました」

羽織をぬいで小者に投げわたした半次郎が、やはり懐に用意していた紐で襷をかけた。

なだらかな坂道をおりてくる六名が、歩きながら羽織をぬぎすてる。襷掛けがしてあった。股立をとり、足を速める。

真九郎は顔をもどした。

気配を感取した茂みより七間（約一二・六メートル）ほどさきから、抜刀した六名がとびだしてきた。

いずれも股立をとり、襷掛けをしている。

六名へはちらっと眼をやっただけで、茂みを睨《にら》みすえる。

茂みから身じたくをした五名がでてきた。抜刀して、駆けてきた六名と合流する。

鯉口を切って筑後を抜くなり、真九郎は走った。まえに十一人、うしろに六人。数を減じなければならない。

たちまち彼我《ひが》の間隔がなくなっていく。

「オリャーッ」

「死ねえーッ」

悪鬼の形相《ぎょうそう》で迫る先頭ふたりとの間合を割る。

右がまっ向上段から面にきた。左は袈裟《けさ》だ。右の白刃が夜気を裂く。が、はるかに速く、雷光と化した筑後が胴を薙《な》ぐ。

筑後が、着衣と肉とを裂きながら一文字に奔《はし》る。

「ぎゃあーッ」

――キーン。

左よこに踏みこんで袈裟に襲いくる刀身を弾《はじ》きあげ、弧を描かせた筑後で駆けぬけんとしたひとりに逆胴をあびせる。

「ぐえっ」

左手を頭上に突きあげ、右の掌《たなごころ》で刀身をささえる。

弾かれた袈裟が、眦《まなじり》をけっし、上段から撃ちこんできた。敵の刀身が、筑後の鎬《しのぎ》をすべりおちる。

筑後の切っ先が、大気に唸《うな》りをしょうじさせて円弧に奔り、背から胸へ右脇を断つ。

「ぐわっ」

五名が、左右を駆けぬけつつある。

踵《きびす》を返しかけ、真九郎は踏みとどまった。残った三名が、青眼にかまえて三方向から油断なく迫っている。

いずれも遣える。

左が猪首《いくび》、正面が中背、右が痩身だ。三名とも、三十代なかばから後半。

中背が言った。

「うぬが相手は我らぞ」

真九郎は、青眼にとった筑後にすばやく血振りをくれて八相にかまえた。三名とも、すさみきった眼をしている。構えに隙がなく、殺気も放っていない。

駕籠を護る供侍は、わずか六名だ。

真九郎は、右の痩身にむかって駆けた。

瘦身がさがり、中背と猪首がとびだす。

方向を転じた真九郎は、中背との間合を割った。

霧月《むげつ》――。

反転につぐ反転。面を狙った中背の一撃がながれる。加速をつけて脾腹《ひばら》を薙ぎにいく。

が、中背が右手一本で刀身を叩きつけてきた。

――キーン。

左足を軸に一回転。

躰をまわしながら上段にかまえんとしている中背の胴を、筑後が裂きながら奔る。

「な、なんと……」

中背の顔がゆがむ。

右斜め後方から殺気。

抜けた筑後を、右足をおおきくひきながら雷光にする。

刀身がぶつかる。

真九郎は、右足で地面を蹴って斜め前方に跳んだ。が、左背の脇ちかくを瘦身の切っ先が襲う。襷が切れ、刺すような痛みがはしった。

空中で反転して着地。

左から猪首が、右から瘦身が突っこんできた。

一合、二合、三合――。

ほどけた紐がおちる。

四合、五合――。

猪首の下方からの一撃が袖《そで》を断って左腕をかすめる。

逆袈裟を狙った瘦身の斬撃《ざんげき》を弾きあげ、返す刀で猪首に痛撃をみまう。筑後が、猪首の左脾腹を断つ。

勢いのままに腰をおとしながら躰をまわす。

右腕一本の片手薙ぎが頭上をすぎる。腰をあげながら、右腹から左肩へと斬りあげる。

着衣を裂き、肉と骨を断って切っ先が奔る。

瘦身の眼が生気を失う。

左足をひいて血振りをくれ、真九郎は身をひるがえした。筑後の刃を外にむけて右肩にかつぎ、左手で大小の鞘《さや》を押さえて走る。

供侍ふたりが手疵《てきず》をおい、土佐守も槍で応戦している。

減じた敵はひとりだけだ。なお、七名が土佐守と供侍たちにむかっている。

そのむこうでは、半次郎が残るひとりと対していた。

足が地面を踏むたびに左背の疵が痛み、左腕にも血がつたう感覚がある。

柄《つか》に左手をそえて八相にとる。

右端にいる敵ふたりの間合にとびこむなり、ふり返るいとまもあたえずに袈裟懸けをあびせ、左手一本でもうひとりの脇を斜めに斬りあげた。

ちらっと真九郎のほうに顔をむけた敵の腹に、土佐守が槍をみまった。

真九郎は、三人めの間合にとびこんだ。

薙ぎにきた敵の白刃よりも速く、右腕を断つ。

「げぇッ」

残った三名があとずさり、踵を返して逃げた。半次郎と対していた者も、一歩、二歩とさがり、身をひるがえした。

真九郎は、筑後に血振りをくれ、懐紙《かいし》でていねいに刀身をぬぐった。

鞘におさめ、土佐守に対する。

「お怪我《けが》はございませぬか」

土佐守が首をふった。

「そのほうこそ、手疵をおったようだが」

「かすり疵にございます」

半次郎が、右足をかばうようにしてやってくる。着衣の腿《もも》のあたりが裂け、左の二の腕からも血がしたたっている。

土佐守が、半次郎から草履取りに顔をむけた。

「いそぎ報せてまいれ」

「はっ」

草履取りが、頭をさげ、提灯をうけとって駆けだした。

二十数名が刀をまじえる騒ぎにもかかわらず、あるいはだからこそか、両側の武家屋敷はかかわりあいをさけるべくひっそりとしていた。

二

土佐守の指示で、諸肌《もろはだ》脱ぎとなった真九郎が無疵の供侍に背の左脇と腕の疵に止血をしてもらっていたころ、今治では鮫島兵庫《さめじまひょうご》が文机《ふづくえ》にむかっていた。

廊下から声がかかった。

「殿……」

井坂権之助《いさかごんのすけ》だ。

「はいれ」

ほどなく、兵庫は筆をおき、躰をめぐらせた。

権之助は、めったなことではものに動じたりしない。それが、廊下ちかくに座した面《めん》体《てい》に緊張がある。

「なにかあったようだな」

「殿、容易ならぬ事態にござりまする。今宵、馬上甚内《まがみじんない》が名を耳にいたしました」

兵庫は、わずかに眉をひそめた。

「またもや竹田《たけだ》道場の者どもか」

「ちがいまする。縄暖簾《のれん》で町家の者たちが話しておりました」

「ほう。それで」

さきをうながし、兵庫は腕をくんだ。

権之助は町家の者たちを探索につかっている。

家中の眼をさけるため、その者たちと会うのは、城下はずれの寺町《てらまち》通りのさきにある北新町《きたしんまち》か漁師町《りょうしまち》でだ。

この夜、権之助は、北新町の縄暖簾に目明《めあか》しの手先といた。

いくばくかの豆銀《まめぎん》とひきかえに町家の噂《うわさ》を聞く。安い縄暖簾ではあるが、手先にとっては濁酒《だくしゅ》であってもたっぷりと飲めるのでじゅうぶんな馳走《ちそう》であった。

諸国においては、幕末まで目明しの呼称が用いられた。江戸では、八代将軍吉宗《よしむね》が目明しの弊害につかうのを禁じたが、岡っ引と呼び名が変わっただけで存続した。

小人数で町家の秩序を維持するため、たちのよくない者がいるとわかっていても、町奉行所は眼をつぶらざるをえなかった。南北両町奉行所の手勢だけでは、広大な江戸の治安をたもつことができないからだ。

手先の話にめぼしいものはなかった。

権之助は、適度な相槌《あいづち》をうちながら、かたわらの町家の者たちに耳をそばだてていた。

――江戸留守居役だった大久保孫四郎《おおくぼまごしろう》ってお人は、上府なされた殿さまに、切腹を命じられたそうな。なんでも、商人《あきんど》にたのまれて闇討に手をかしたんだとよ。

――そんなら、腹を切ってあたりめえだな。

――それだけじゃねえんだ。大坂蔵屋敷にいたころ、妾とのあいだに男と女の子があった。妙《たえ》ってのが娘の名で、お城の奥御殿へ奉公させてた。で、馬上甚内って倅に、妹に会いたければ言うことを聞けって闇討をやらせたんだってよ。

――なんて奴だ。

――ああ。それをお聞きになったお殿さまが不憫《ふびん》におぼしめし、娘を参勤交代の旅で大坂までつれてって、母親のもとへ送った。いいことなさるじゃねえか。

――その馬上って倅は。

――闇討にしくじり、斬られたって話だ。おおきな声では言えねえんだがよ……。

それからは、断片しか聞けなかった。しかし、それが、左頬に刀疵、五年まえ、寺町通り、秋の嵐、ふたりを見たって者がいる、普請奉行だった脇坂《わきさか》小祐太。

「……甚内は四月《よつき》も城下におりました。たしかに、左頬から顎にかけて刀疵がござりました。けっして出歩いてはならぬときつく申しておいたのですが、大柄なうえにあの刀疵です、あるいは憶《おぼ》えていた者がおるやもしれませぬ。暴風雨のおり、それがしが甚内を案内したのも事実。しかし、五年もまえのことにござりまする。なにゆえいまごろ」

兵庫は、腕組みをほどいた。

「殿がご帰国なさり、供の者も大勢もどってまいった。江戸留守居役の切腹だ、孫四郎のことがあらためて俎上《そじょう》にのぼるもうなずけぬではない。じゃが、脇坂小祐太が件は、けっして表沙汰にしてはならぬ」

兵庫は、眼で問うた。

権之助が首肯《しゅこう》した。

「かようにいいかげんな噂を誰が言いふらしておるのか、そしてどれほどひろまっておるのか、さぐってみるよう申しつけておりまする」

「さようか。ご苦労であった。さがって休むがよい」

「はっ」

畳に両手をついた権之助が、障子をあけ、脇の刀を手にして退室した。

障子がしまるのを待たず、兵庫は瞑目《めいもく》した。

帰国してからの主君を想起した。

ほぼ二十年も仕えている。ふくむものがあるのであれば、ようすや顔色でわかる。場合におうじた返答を用意していたが、孫四郎の一件をもちだしさえしなかった。

壱岐守《いきのかみ》は、孫四郎がなしたことであり、国もととはかかわりがないと思っている。

「まさか……」

兵庫は、声にだしてつぶやいた。

「いや、ありえぬ」

帰参して、ともに帰国しているのであれば、鷹森真九郎をまっさきに疑う。しかし、遠い江戸にいる。刺客《しかく》に命をつけ狙われ、国もとどころではないはずだ。

家中ではなく、町家で噂をふりまく。迂遠《うえん》なようだが、真綿で首を絞めるかのごとき効きめがある。

早晩、尾鰭《おひれ》がつき、もっともらしく語られるようになるであろう。

むろん、最初は誰も相手にしない。ばかなと笑うだけだ。が、あちこちから似たような噂がつたわるようになると――。

火のないところに煙はたたぬという。

しかも、事実なのだ。脇坂小祐太は、兵庫が命じて殺させた。

壱岐守は、野駆けのおりによく庄屋屋敷をおとなう。いずれは、風聞が耳にたっする。

それが、二度、三度とかさなれば……。

だが、鷹森太郎兵衛《たろうひょうえ》にこのような策をめぐらす才があるとは思えない。やはり、真九郎が小祐太の一件をかぎつけたのか。

孫四郎からの最後の報せでは、馬上甚内は真九郎に斬られたという。甚内が、おのれが孫四郎の庶子であり、小祐太殺害に手を貸したのを、真九郎にあかしたのか。

父親を裏切る。

よもやとは思う。しかしながら、小祐太の一件が洩《も》れたとすれば、甚内のほかに考えられない。

太郎兵衛に、真九郎からの報せがもたらされた。もってきたのは、むろん戸田小四郎《とだこしろう》だ。

小四郎は、来月には脇坂の次女と祝言をあげて婿養子になる。真九郎と妻女は、義理の兄と姉だ。真九郎にとっては、竹田道場の門弟でもある。当然、江戸でいくたびか会っている。

算勘《さんかん》にすぐれているとは聞くが、いまだ若造だ。小四郎の策でもない。それに、小四郎が小祐太の一件を知っているのであれば、大目付である父親の戸田左内《さない》に告げているはずである。

――鷹森真九郎をかいかぶるあまりの思いすごしか。どちらにしろ、猶予はない。であるがゆえにこそ、疑いの眼がむけられぬようにせねばならぬ。

宵がふかまり、兵庫はようやく思案をまとめた。

錦小路には、宿直《とのい》の与力や同心のほかに、残っていた桜井琢馬たちも駆けつけてきた。襲撃してきた浪人たちは、生死の別なく戸板にのせられて八丁堀島の大番屋にはこばれていった。

深手の供侍二名と、脚に疵をおった成尾半次郎ばかりでなく、真九郎まで駕籠にのせられた。

北町奉行所で医者の手当をうけて御用提灯をもった小者をつけられ、真九郎は霊岸島四日市町《よっかいちまち》に帰った。

翌十七日は、浅草はずれの坂本村《さかもとむら》にある下屋敷道場である。

この日も快晴であった。

筑波山《つくばさん》のあたりは鰯雲《いわしぐも》に覆われているが、江戸の空は澄んだ青空がひろがり、秋の陽射しがほほえんでいた。

真九郎は、稽古着姿にはなったが門人たちの相手はしなかった。疵はいずれも一寸（約三センチメートル）ほどで、腕はかすっただけだが、背のほうは数日かかるだろうとの医者の見立てだった。

昼九ツ（正午）に稽古を終えて汗をぬぐい、下屋敷から大川へむかった。

山谷堀の桟橋に屋根船をつけて待っていた船頭の徳助が、ぺこりと頭をさげた。

船縁《ふなべり》は障子がしめられていた。真九郎は、舳《みよし》にまわった。

座敷の下座に、甚五郎がひかえていた。

腰をかがめて真九郎がすわるのを見ていた徳助が、腰をのばして棹《さお》をつかった。屋根船が桟橋を離れる。

甚五郎が、膝に両手をおいてかるく低頭した。

「旦那、昨夜《ゆうべ》もまたあったそうで」

真九郎は、いくらか眼をみひらいた。

「もうぞんじておるのか。辻番所の者には口止めをしていたようだが……」

「死体《ほとけ》の始末がござんす。浪人が何名《めえ》も斬られたと聞いて、旦那にちげえねえと思ったしだいでござんす」

「なるほど。いずれ耳にするであろうが、狙われたのはわたしではない。北町奉行の土佐守さまだ」

甚五郎が眼をほそめた。眉間に皺《しわ》が刻まれる。

「たしか、三度めでは」

真九郎は首肯した。

「そのとおりだ」

「闇の奴らが、北のお奉行さまだけをつけ狙う理由《わけ》はなんでござんしょう」

最初の四神の大捕物では、たまたまそこに北町奉行がいたことによる。しかし、二度め以降は、符丁の謎を解いたのが土佐守だと思われているからだ。

「土佐守さまは、ながく町奉行職にある。手腕を恐れておるのではないかな。それに、四神騒動以降、かの者どもはご公儀に挑んでおるような気がいたす」

「なにゆえでござんしょうか」

真九郎は首をふった。

「ご公儀によほどの遺恨があるのではと思うのだが、かの者どもがやりようはもうひとつわからぬところがある」

身をのりだすようにしていた甚五郎が、上体をなおした。

「旦那、お会いいただいたのはお願《ねげ》えがあってでござんす。八丁堀にもさぐりをいれておりやすが、ごぞんじなら教えておくんなせえ。深川元加賀町《もとかがちょう》の大黒屋と、芝浜松町の二葉屋が、辻斬に殺《や》られやした。闇のしわざでござんしょうか」

どちらも、寺社の門前町である。

「かかわりがあるのか」

「会ったこともござんせん。ですが、門前町でのことはなるたけ知っておきてえんでござんす」

真九郎はうなずいた。

「二葉屋とおなじ夜に、浅草御蔵前森田町の札差も辻斬に遭《あ》っているが、三名とも袂にわたしの名を書いた半紙があったそうだ」

甚五郎が眉をひそめた。

「旦那の名が……。いってえどういうことでござんしょう」

「まだなんとも言えぬ」

「よくお洩らしになっておくんなさいやした。ありがとうござんす。わっちのほうでなにかわかりやしたら、お報せしやす」

「それはありがたい。じつは、わたしのほうでもそのほうにたのみがあるのだ」

「なんでござんしょう」

真九郎は、佃島《つくだじま》での日下左門《くさかさもん》との果し合いをかいつまんで語った。

「……その昇吉《しょうきち》と名のっていた古着の担売りが、そこなら人目につかぬと教えたそうだ。わたしは、佃島の生れではないかと考えておる」

「佃島の者《もん》で、西国《さいごく》をまわってる担売り。わかりやした。旦那、あそこにあるんは住吉《すみよし》明神《みょうじん》だけでごぜえやすから、手の者《もん》もそれほどはおりやせん。手間どるかもしれやせんので、ご承知願《ねが》えやす」

「わたしがもしやと思うておるだけで、年齢《とし》恰好《かっこう》も人相もわからぬ。めんどうなたのみをしてすまぬ」

「なにをおっしゃいやす。できるだけのことはいたしやすんで、任せておくんなせえ」

真九郎は、笑みをうかべてうなずいた。

和泉屋まえの桟橋で、真九郎は屋根船をおりた。甚五郎に言われた徳助が、稽古着を包んだ風呂敷をもってついてくる。

脇道から和泉屋裏通りにでたところで、真九郎は風呂敷包みをうけとった。徳助が、顎をひき、踵を返した。

昼八ツ（二時）の鐘が鳴りおわるまえに、宗右衛門が庭に姿をみせた。

真九郎は、客間にうつった。

庭を背にして膝をおった宗右衛門が、かるく低頭する。

「鷹森さま、昨日《さくじつ》はあいにくと手代がでかけておりましたので、今日になってしまいました。お許しください」

「いや、商いとはかかわりがないのに、無理を申してすまなかった」

「お役にたてればよいのですが……。鷹森さま、二葉屋はなにやらこじれているそうにございます」

「ほう」

「お聞きくださいませ」

二葉屋には、二十三になる嫡男がある。ところが、気が弱いので商いにはむいていない。娘がふたりいて、長女はすでに嫁いでいるが、十六の末娘が残っている。

主の庄兵衛には、弟と妹がある。弟は商家へ婿入りし、妹は町内に嫁いだ。

弟はみずからの娘と嫡男との縁組を唱え、妹は次男を末娘の婿にしようとしている。嫡男はどうしたいのかはっきりせず、末娘のほうは父親がいずれ板前を婿にして継がせたいと語っていたという。

母親は四年まえに他界しており、当の板前をふくめて主からそのような話を聞いた者はいない。

連日、弟と妹がきて、言い争いをしている。

「……手前どもが納めております酒と味噌醤油の量からして、増上寺の門前でございますし、なかなかな商いと思われます」

「末娘は、その板前を好いておるのやもしれぬな」

「手前もそう思います。主の庄兵衛さんは、いまだ四十九だと聞きました。末娘ですからできれば手もとにおいておきたかったでしょうし、再来年あたりの心づもりでいたかもしれません。鷹森さま、上方《かみがた》では、娘に婿をとって継がせたほうが暖簾に信用がつくそうにございます」

「大坂の蔵屋敷からもどってきた者から、わたしもそのようなことを耳にしたことがある。昨日《さくじつ》も申したように訊きまわるのはひかえてもらいたいが、またなにかわかったら教えてくれぬか」

「かしこまりました。それと、涼み舟は、さきにしますとなにがあるかわかりませんし、このところはお天気もよいので明後日《みょうごにち》にしたいと思っております。よろしいでしょうか」

「おまかせする」

「ありがとうございます。さっそくにも、みなさまがたに使いをたてることにいたします。では、失礼させていただきます」

笑みをうかべた宗右衛門が、かるく辞儀をして腰をあげた。

すわったままうしろ姿を見送った真九郎は、なおしばらく客間にいた。

秋の陽がのどかに南から西へとうつっていき、やがて夕七ツ（四時）の鐘が鳴った。

真九郎は、着流しの腰に大小をさして家をでた。

昨夜《さくや》、桜井琢馬に、夕七ツすぎに藤二郎のところで会おうと言われていた。

客間には琢馬と藤二郎だけがいた。

真九郎は、琢馬に訊いた。

「成尾さんの具合はどうですか」

「てえしたことはねえが、腿の疵だからな。じゅうぶんに養生するようお奉行に言われ、屋敷でおとなしくしてる。斬られた二名《めえ》も、助かるってことだ」

真九郎は、笑顔でうなずいた。食膳をおいたきくが、酌をした。

琢馬がつづけた。

「できればおめえさんにたずねてほしいって、半次郎にたのまれた」

疵口はすでにふさがっている。それでも、真九郎は唇を湿らすだけにして杯をおいた。

きくが、首をかしげるような会釈をして客間をでていった。

真九郎は、琢馬に顔をむけた。

「なんでしょう」

「あいつは、左腕は二寸（約六センチメートル）ばかりだが、左の腿は斜めに三寸（約九センチメートル）あまり斬られてた。おめえさんも無疵ってわけじゃねえが、これまでも浅手しかおっちゃいねえ。秘訣《ひけつ》があるんなら教《おせ》えてほしいそうだ」

「真剣の切っ先は、思いのほかのびます。わたしも、頭ではわかってるつもりでいながら、かわしきれずに疵をおっております。それと、これは秘訣というほどではありませんが……」

真九郎は、古里《ふるさと》の叢林《そうりん》での修行を語った。

春の突風、夏から秋にかけての暴風、冬の北風。それらにのって飛来する枯れ葉や小枝などを、かわし、見切り、斬る。刀を自在にふるえるところだけでなく、枝や幹が邪魔になる狭い場所でもおこなう。

「……師に教わり、わたしはそのような修行をしておりました」

「なるほどな。半次郎に伝《つた》えておくよ。お江戸も冬は筑波颪《つくばおろし》が吹くし、あいつん家《ち》は薬《やく》師《し》堂にちかい。あそこなら木が多いからうってつけだ」

「桜井さん、さきほど和泉屋と会っておりました」

琢馬は、亡くなった二葉屋主の弟と妹が連日やってきていがみあっているのは知っていた。が、末娘と板前のことは初耳だという。

いつもは柔和《にゅうわ》だがときとして刃《やいば》となる一重の眼が光り、つぶやいた。

「そいつぁ、おもしれえな」

「和泉屋が帰ってから、わたしも考えてみました。主の庄兵衛が、末娘と板前を夫婦《めおと》にして二葉屋を継がせるつもりでいたのだとしますと、倅をどうするのか」

「庄兵衛は、ほんとうに誰にも話してねえのかな」

「ええ。そのような思案があったのであれば、それとなく倅の気持ちをたしかめたのではないかと、わたしも思います」

「今宵、報告しとく。こいつは、身内の周辺をじっくりとさぐってもらわなけりゃあならねえ」

琢馬の眼から挑むようなふてぶてしさが消えた。

顔をむけ、にこっとほほえむ。

「昨夜《ゆうべ》、おめえさんが疵の手当をしてもらってるとき、お奉行に言われたんだがな。おめえさんには三度も助けてもらってる。さいわい、てえしたことはなかったが、手疵まで負った。でな、お奉行がおっしゃるには、なんかお礼がしたいそうだ」

真九郎は、かたちをあらためた。

「桜井さん、ごぞんじのように、闇はわたしの殺害を請けおっております。かの者どもを斃《たお》さぬかぎり、安寧《あんねい》の日はおとずれません。いわば、わたし自身のためなのです。お気持ちだけでじゅうぶんですので、土佐守さまによしなにおつたえ願えませんでしょうか」

琢馬が苦笑した。

「そう言うだろうと思ったよ。欲ってもんがねえんだからな、まったくおめえさんにもこまったもんだぜ。まあ、いいや。お奉行にはそうご報告しておくよ」

「ごめんどうをおかけします」

真九郎は低頭した。

琢馬が顎をしゃくった。

「あんましすすまねえようだな。おめえさんの酒、おいらがもらおうか」

「申しわけありません」

「気にしなさんな」

琢馬がにっとほほえみ、真九郎がさしだした銚子をうけとった。

真九郎は訊いた。

「御蔵前の山城屋についてはどうでしょう」

「いまんとこ、女好きってことくれえかな。奉公人の口が固くて、はかばかしくねえそうだ。もうすこしいろんなことがわかったら、まとめて話すよ」

琢馬とともに菊次《きくじ》をあとにしたのは、西空を茜《あかね》色にそめた夕陽が相模《さがみ》の山脈《やまなみ》に沈もうとするころであった。

三

十九日の昼八ツ（二時）すぎ、医者がきて、疵に膏薬《こうやく》を塗りかえた。腕も背も晒《さらし》をまかれたが、翌日からは稽古を再開してもさしつかえないとの許しをえた。

夕刻、真九郎は、客間の廊下ちかくに書見台をだして漢籍を読んでいた。

そろそろ報せがくるころだが、雪江のしたくがいまだ終わらない。

船遊びは、仲夏五月二十八日の川開きに花火見物をしていらいである。あの日とおなじように、半刻（一時間）あまりまえにさっさときがえさせられて居間から追いだされた。

以前の雪江がもどってきたかのようで、真九郎は嬉《うれ》しく思った。

きがえた雪江が客間に見せにきてほどなく、和泉屋の手代が、みなさまおそろいになりましたと告げにきた。

和泉屋まえの桟橋に、おおきめの屋根船二艘《そう》がよこづけされていた。

雪江が艫《みよし》からのるのを見とどけ、真九郎もうしろの屋根船にのった。

双方の屋根船とも、艫《とも》がわだけが障子で、あとは簾《すだれ》だった。艫では、百膳《ももぜん》の法被《はっぴ》をきた男衆が食膳をととのえている。

船縁の両上座よりが宗右衛門と三浦《みうら》屋善兵衛《ぜんべえ》で、艫を背にして百膳と浪平《なみひら》の亭主がいる。

宗右衛門と善兵衛のよこに、内儀を雪江に弟子入りさせている商家の主たちがならんでいる。宗右衛門のならびが酒問屋と紙問屋、善兵衛のならびが塩問屋と船具問屋と畳表問屋である。

屋根船が、霊岸島を二分する新川《しん》から西陽をあびている大川にでた。

新川から大川を二町（約二一八メートル）あまりさかのぼれば永代橋《えいたい》である。

橋下をすぎたところで、百膳の男衆が食膳をはこびはじめた。三の膳まであった。宗右衛門が声をかけ、手酌で飲みはじめた。

寄合でしばしば料理茶屋に行く宗右衛門は、桜井琢馬によれば染吉《そめきち》が真九郎を慕っていたのを知っている。そうでなくとも、深川一を謳《うた》われる名妓《めいぎ》であった染吉の唐突な死は噂になっているはずだ。

両国橋をすぎた神田川河口に架かる柳橋両岸にも、料理茶屋や船宿がならんでいるが、屋根船はそのまま上流にむかった。

やはり芸者は呼ばなかったようだ。真九郎は、宗右衛門の眼をとらえ、感謝の思いをこめてちいさくうなずいた。

宗右衛門が、笑みでこたえた。

大川河口に位置し、江戸湊《みなと》にめんする霊岸島に問屋が多いのは、大坂からの下り荷の集積地だからだ。

とくに、江戸で飲まれる酒のたいはんが下り物であり、新川ぞいには多くの酒問屋がある。雪江の弟子も、酒問屋が六軒ともっとも多い。

宗右衛門のよこにいる池田屋佐兵衛《いけださへえ》が、顔をむけた。年齢《とし》は、宗右衛門より一歳下の五十三。丸顔で眼がほそく、福耳の持ち主だ。

「鷹森さま、おたずねしてもよろしゅうございましょうや」

「なにかな」

「闇と称する者どもがおるそうにございます。ごぞんじでしょうか」

真九郎は笑みをうかべた。

「知らぬでもないが、なにゆえそのようなことを訊くのか教えてもらえぬか」

ほかの者も、興味ぶかげに耳をかたむけている。

「過日、御蔵前森田町の札差山城屋さんが辻斬に遭われてしまいましたが……」

真九郎は首肯した。

「ぞんじておる」

「ご姓名はお許し願いますが、さるお屋敷でお目にかかっていらい、山城屋さんに酒を納めさせていただくばかりでなく、お出入りのお旗本もご紹介くださるなど、懇意におつきあい願っておりました」

「山城屋の主をぞんじておったのか」

「はい。ところがでございます、ひと月あまりまえ、闇について知ってるかと訊かれ、つなぎをつけるにはどうすればよいのかわかるすべはないだろうかとおたずねでした。さるお殿さまにたのまれたのだとおっしゃっておられました。手前は、山城屋さんが、ほうぼうに声をかけ、かえって闇に狙われてしまったのではないかと案じております」

真九郎は、佐兵衛から一同に眼をながした。

「みなも聞いてくれ。たしかに、山城屋は闇の手にかかった。わたしは、八丁堀の桜井どのにたのまれて闇の探索をてつだっている。だからわかるのだが、かの者どもは恐ろしき相手だ。いま耳にしたことは、けっして他言してはならぬ。そのほうらがためだ。脅しておるわけではない。よいな」

いちように緊張した面持ちでうなずくのを見て、真九郎は安堵《あんど》した。

嵯峨《さが》屋と染吉が犠牲になっている。しかも、今回は真九郎を名指ししてきた。闇の意図が判明するまでは、用心にこしたことはない。

三浦屋善兵衛が、顔をほころばせてわずかに身をのりだした。

「鷹森さま」

善兵衛が、いったんとなりにいる塩問屋の能登《のと》屋市右衛門《いちえもん》に顔をむけた。

「先日、能登屋さんに言われまして手前も気づいたしだいにございますが、このところ、強請《ゆすり》たかりをはたらく者をとんとみかけなくなりました。以前は、商いをつづけるかぎり、いいがかりをつけて金子《きんす》をねだる者がいなくなることはあるまいとあきらめておりました。これも、鷹森さまが一日おきに浜町《はまちょう》をお通りになるからではないかと、能登屋さんと話しておりました」

市右衛門がおおきくうなずいた。

四十一の善兵衛より六歳下で、内儀とは十歳離れていて幼い息子と娘がある。

「そういえば」

宗右衛門がかすかに首をかしげた。

「手前のところも、ひとりもあらわれておりません」

佐兵衛が笑みをこぼした。

「鷹森さまがお住まいになっておられるとも知らずに、押し入ろうとした盗人《ぬすっと》どもがおりましたな」

佐兵衛のところは、倅の嫁が弟子入りしている。

宗右衛門が、苦笑いをうかべて首をふった。

大川は、吾妻《あずま》橋をすぎると隅田《すみだ》川と呼び名が変わる。二艘の屋根船は、木母寺《もくぼじ》のちかくで舳を転じた。

江戸の空から青さが薄れ、日暮れのけはいが濃くなっていくなか、途中で灯りをともし、ゆったりと川面《かわも》をくだっていった。

翌二十日、真九郎は、下谷御徒町《したやおかちまち》の立花家上屋敷から両国橋で大川をわたり、本所亀沢町《ほんじょかめざわちょう》の団野《だんの》道場へ行った。

持参した弁当をつかい、きがえて道場にでる。

夕七ツ（四時）までは門人たちの相手をして、それから暮六ツ（六時）まで高弟どうしで研鑽《けんさん》をつむ。そして、汗をふいてきがえ、直心影流《じきしんかげ》十二代目である師の団野源之進《げんのしん》義高《よしたか》をかこんで酒宴をもつ。

道場をあとにしたのは、いつものように夜五ツ（八時）すぎであった。

高弟であった青木淳之助《あおきじゅんのすけ》が、初夏四月から肥前《ひぜん》の国平戸《ひらど》藩六万千七百石松浦《まつら》家へ剣術指南役として仕官していらい、真九郎は水野虎之助《みずのとらのすけ》と竪川《たて》をわたるまで同行するようになった。

虎之助は、小普請組二百二十石の旗本で、三十六歳。高弟の最古参である。

横川方面へむかう高弟最年長の小笠原久蔵《おがさわらきゅうぞう》ともっとも若い朝霞新五郎《あさかしんごろう》のふたりに別れを告げ、二ツ目之橋への通りにはいったところで、虎之助がちらっと眼をむけた。

「真九郎、稽古のおり、左肩をかばっているようであったが……」

「ご慧眼《けいがん》、おそれいります」

真九郎は、一揖《いちゆう》し、北町奉行の警固をたのまれ、闇一味に襲われたことを語った。

「おぬしは、いくたびか手疵をおってておる。真剣で修羅場をくぐってきた者は、無頼の徒といえどもあなどれぬということか」

「霧月の一合めを受けられました」

虎之助が、驚きの顔をむけた。

「おぬしの疾《はや》さに合わせたのか」

「はい」

「なんとも。博徒《ばくと》の用心棒を生業《なりわい》としておる者たちであろう」

「おそらくは」

「それほどの遣い手が……。剣の道、むずかしいものよな。どれほど修行をつんでも、それでお役入りがかなうわけではない。いまや、剣より算勘だ」

「お察しいたします」

虎之助の横顔がほほえんだ。

「すまぬ。愚痴を申すつもりはなかった。旗本の身分さえ捨てれば仕官の途《みち》がないわけではない。先祖からの家名にたいする未練だ。忘れてくれ」

「水野さま、七夕《たなばた》の前日に果し合いを挑まれ、負けました」

顔をむけた虎之助の眉間に、ふかい皺が刻まれていた。

「異なことを。負けたとは、いかなる意味だ」

真九郎は、日下左門との立合をかんたんに述べた。

「相手の病に助けられたというわけか」

「はい。立合は、あきらかにわたしの負けでした」

「闇ではなく、国もとのからみだな。立花家の剣術指南役を断ったのも、そのせいか」

真九郎は、苦笑をもらした。

「徳田《とくだ》どのでしょうか」

団野道場の用人徳田十左《じゅうざ》は、白髪頭をした年齢不詳の老人である。青木淳之助が、徳田十左から聞いたと話していた。

「そうだ。もったいないことをとこぼしておった」

「水野さま、わたしは次男ですが、殿のかくべつのおぼしめしによって出仕いたしました。お許しもえずに夫婦《めおと》となったのも、妻をともなって城下をたちのいたのも、お咎《とが》めにはなりませんでした」

「ご主君への恩義か」

「はい」

虎之助が、肩でおおきく息をした。

「迷わずおのが路《みち》をゆく。真九郎、よき話を聞いた。礼を申す」

竪川をわたった本所林町《はやしちょう》二丁目の辻で、真九郎は左におれる虎之助と別れた。

団野道場からの帰路を、いくたびとなく襲われている。帰る刻限と通る道筋がおおよそきまっているから、待ち伏せが容易だ。

竪川をこえた帰り道は、五間堀から六間堀にそってすすみ、幕府の御籾蔵《おもみぐら》のてまえで大川にでる。

あとは、御籾蔵正面にある新大橋をわたるか、そのまま大川の東岸を行って永代橋をこえるかだ。だが、永代橋にいたる深川佐賀町《さがちょう》の通りでは、染吉との二度めの出会いがあった。

このところ、新大橋のほうが近道だからとおのれに弁明し、永代橋をさけている。

闇には忍がいる。北町奉行所につかわされた医者がきた。手疵をおっているのを知っていると思わねばならない。

新大橋をこえると、霊岸島ちかくまで武家地を行く。

左手でもつ風呂敷包みと小田原提灯《おだわらぢょうちん》の柄《え》をいつでも投げ捨てるべく、四周に気をくばりながら大川ぞいの道をすすんだ。

浜町川の河口に架かる川口橋《かわぐち》のすぐさきに三角島がある。御三卿田安家《ごさんきょうたやす》の下屋敷まえの橋が永久橋《えいきゅう》で、三角島も永久島という。が、橋下の川は箱崎川《はこざき》であり、庶民は三角島も箱崎町があることから箱崎と呼んでいた。

真九郎は、川口橋にかかった。

浜町河岸に、屋根船の灯りが見える。永久橋よこの桟橋にも、灯りのある一艘の屋根船が舫《もや》われている。

真九郎は、歩度をおとし、まるみをおびた橋をくだっていった。

ゆっくりと息を吸ってはき、呼吸をととのえる。

背後の川口橋ちかくに辻番所がある。つぎは、永久橋から二町（約二一八メートル）ばかり行った汐留橋《しおどめ》のてまえまでない。

左は川、右は大名屋敷の塀がつらなっている。塀の屋根ごしにのびた樹木の枝が夜空を覆い、昼間でも人影のすくない通りである。

川口橋から永久橋までは三町（約三二七メートル）余。永久橋へ一町（約一〇九メートル）たらずのところに、入堀《いりぼり》に架かる橋がある。

なかほどに達したとき、前方の屋根船から人影が二つでてきた。ひとりが提灯をもっている。

真九郎はふり返った。

やはり片方が提灯をもったふたりが川口橋をおりてくる。

顔をもどす。

すぐさきの丁字路をおれ、松島町《まつしまちょう》から銀座のよこをぬけ、日本橋川を江戸橋でわたって八丁堀経由で帰れぬことはない。

疵が完治せぬいま、できれば刀をまじえたくない。だが、挑まれて背をむければ、さきまわりして雪江のかどわかしをたくらみかねない。敵《かな》わぬとみてとれば、雪江は自害する。

川端によって風呂敷包みをおく。むすびめに、小田原提灯の柄をさす。紐で襷《たすき》をかけ、股立をとる。

小田原提灯が左よこにくる位置に立ち、左右に眼をくばる。

浪人たちは、いそぐふうもなくゆったりとした足どりでちかづいてくる。が、こちらに眼をすえ、いささかの油断もない。

双方とも五間(約九メートル)ほどのところで立ちどまった。

足もとに印のない弓張提灯をおき、懐からだした紐で襷をかける。股立もとる。

四人が刀を抜く。

真九郎は、左手を鯉口にあてた。

差料のなかでもっとも軽い大和《やまと》を腰にしてきた。刀身が二尺二寸（約六六センチメートル）と、ほかの差料よりも一寸（約三センチメートル）あまり短い。

大和を青眼にとり、切っ先を右に返す。

四人が、青眼に構えたまままちかづいてくる。

夜空には、雲間にわずかな星明かりがあるだけだ。

背後からの灯りをうけている四人の体軀《たいく》と面貌《めんぼう》に、真九郎はすばやく視線をはしらせた。小田切土佐守を襲撃しそこねて逃げた者たちとはことなるように思える。

三間（約五・四メートル）を割った四人が、摺《す》り足になった。

真九郎は、微動だにしない。

瞳だけで浪人たちの動きをおう。

四人ともいまだに殺気を発していない。

が、すさみきった気配をただよわせている。いくたびとなくくぐりぬけた修羅場が、死臭となってまとわりついている。

左が小柄と中背瘦身、右が中肉中背と長身瘦軀《そうく》。

川岸よりの小柄は青眼のままだが、中背瘦身が下段におとした刀身を右に返して大名屋敷の方角にひらきはじめた。

右の中肉中背も斜めに移動しつつある。

二間半（約四・五メートル）。

四人の体軀が、殺気にふくらむ。

真九郎は待った。

左の小柄には、風呂敷包みと小田原提灯とが邪魔になる。右の長身瘦軀には、大和の切っ先を擬《ぎ》している。

しかけてくるとしたら、前方の中背瘦身と中肉中背だ。

前方のふたりが眦《まなじり》をけっし、殺気がはじけた。

「トエーッ」

「オリャーッ」

ふたりが同時にとびこんできた。

右足をまよこにおおきくひらいて左足をひき、半身《はんみ》となる。背をむけた長身瘦軀の殺気に、大気が震える。

が、前方からの斬撃がさきだ。

振りかぶって撃ちこんできた中肉中背が、よこに動いた真九郎に上体をむけんとする。右足を軸に躰をまわす。

大気を斬り裂いて奔《はし》った大和が、中肉中背の脾腹をふかく薙ぐ。

「ぐえーッ」

石垣につまずいた中肉中背が、頭から箱崎川へおちていく。

中背痩身が下方から逆袈裟に斬りあげてきた。

後方に跳ぶ。

切っ先が触れあわんばかりに、中背痩身と長身痩軀の白刃が交差した。

足裏が地面をとらえるなり、大和を右斜めうえにはねあげ、小柄の袈裟懸けを弾く。

――キーン。

夜陰の静寂《しじま》が甲高い音に震える。が、それが消えぬまに、雷光の楕円《だえん》を描かせた大和で小柄の面を狙う。

小柄が、柄《つか》から左手を離して右足をひく。

大和の切っ先がとどかずにおちる。

柄に左手を添えた小柄が、右足を踏みこんで面にきた。

真九郎は、一撃に体重をのせるのではなく残していた。一刀流の遣い手滝川鉄之進《たきがわてつのしん》との立合で学んだ。

切っ先をはねあげて鎬《しのぎ》をぶつける。

反転につぐ反転。

横薙ぎに追ってきた白刃に大和をぶつけ、反撥《はんぱつ》を利して上段から斬りさげる。大和の切っ先が、右肩から腰へと、着衣と肉、骨を断ちながら縦一文字に奔る。疵口が石榴《ざくろ》の実となって大和の棟《むね》を追う。

「おのれーッ」

小柄が悪鬼の形相で睨み、左腕一本で刀を頭上高く突き刺さんとする。

がらあきの胴を薙ぐ。

「うぐっ」

面貌がゆがみ、左手から刀がおちる。

後方に跳んで返り血をさける。

すばやく血振りをくれ、八相に構えた。左背に刺すような痛みがある。疵口がひらいたようだ。

中背痩身が青眼の切っ先を擬しながら川岸を永久橋方向へすすんでいる。挟撃《きょうげき》する気だ。

呻《うめ》き声を発している小柄から離れ、真九郎は中背痩身を正面にとらえつづけるべく歩調を速めた。

長身痩軀がいそぎ足で追ってくる。

中背痩身が、舌打ちして歩みをとめた。

おなじくすすむのをやめた真九郎は、右半身になった。正面に中背痩身、眼の端に長身痩軀をとらえる。

歩度をゆるめた長身痩軀が、腰をおとしかげんの摺り足になる。

中背痩身が、またしても下段におとした刀身を右に返した。真九郎を睨《ね》めあげ、やはり摺り足で迫ってくる。

双方とも、間隔は三間半（約六・三メートル）。

真九郎は、息をゆっくりと吸い、静かにはくのをくり返した。

二間半（約四・五メートル）。

ふたりがぴたりと止まる。

真九郎は、ふたりのあいだに眼をおいた。

見るのではなく、とらえる。

夜風が吹いてきた。

涼気が、腕と顔を撫《な》でる。

大名屋敷の梢《こずえ》が、秋風にざわめく。

右の長身瘦軀から、殺気がほとばしった。

「行くぞッ」

「おーッ」

ふたりが駆ける。

「オリャーッ」

「トォーッ」

振りかぶった長身瘦軀のほうが速い。面にくる。決死の一撃だ。大気を裂く白刃の鎬に、八相からの大和を叩きつけ、返す刀で中背瘦身の地から駆けのぼってくる袈裟懸けを巻きあげる。

長身瘦軀が胴にきた。

真九郎はとびすさった。切っ先が袴の三寸（約九センチメートル）さきを奔っていく。読んでいたかのごとく、中背瘦身が右よこにまわりこむ。

「キエーッ」

踏みこみざま、撃ちこんできた。

右腕をつきあげ、左手の親指と人差し指で大和の棟を押さえる。

ながれおちた刀身を、中背痩身が返さんとする。が、真九郎のほうが速い。左肩から胸、腕を断って大和が奔る。

中背痩身の眼から生気が消える。

長身痩軀とのあいだに、中背痩身が突っ伏す。

切っ先を長身痩軀に擬し、真九郎は右に動いた。

一歩、二歩、三歩——。

顔面を朱にそめた長身痩軀が、脇構えにとっておなじように移動した。前面をさらして刀身を隠す。攻めに重きをおいた陽の構えだ。

彼我の距離二間（約三・六メートル）余。たがいに踏みこめば、切っ先がとどく。

長身痩軀の躰がふくらんでいく。

真九郎は、八相にとった。

「死ねえーッ」

敵の白刃が奔る。だが、八相からの一撃は雷光であった。

袈裟に斬りさげる。心の臓を裂かれた長身痩軀が、呻き声さえ発せずにくずおれた。

真九郎は、肩でふかく息をして残心《ざんしん》の構えをといた。

左背の疵口がさらにひらいたようだ。痛みが強くなった。

懐紙で刀身をていねいにぬぐい、大和を鞘にもどす。そして、襷をはずして袴をなおした。

浪人たちがおいた弓張提灯の火を吹き消し、藤二郎に報せるべく夜道をいそいだ。

四

翌日は、朝から鼠《ねずみ》色の雲が低くたれこめた曇天だった。

一昨日《おととい》とおなじ刻限にやってきた医者が、疵口を見て、ひとしきり小言をならべた。

真九郎はあやまった。

医者は、くどいほど注意して、ようやく帰った。

上り口で見送った真九郎は、吐息をついた。

廊下で下男の平助を呼び、居間にはいった。

雪江が、ほほえみをうかべて見あげる。

「お医者は案じておられるだけです。事情を知りませせぬゆえ」

真九郎はすわった。

「そうだな。闇は、わたしが手疵をおってるのを知って、襲わせたのだ」

「はい」

平助が、廊下に膝をおった。

小柄な平助は五十一歳。額に三本のふかい皺がある。十世次《とよじ》のとよとは親子だ。

「旦那さま、ご用でしょうか」

「うむ。菊次へまいり、桜井どのにお会いしたいとおきくにつたえてきてもらえぬか」

「かしこまりました」

辞儀をした平助が、厨《くりや》へ去った。平助とうめは、裏にあるくぐり戸から出入りしている。

夕七ツ（四時）の鐘が鳴って小半刻（三十分）ほどがすぎたころ、亀吉《かめきち》が迎えにきた。

春の陽溜りのような亀吉の表情には微塵《みじん》の邪気もなく、真九郎をほっとさせる。

表にでると、亀吉が格子戸をしめた。

顔に晴れがましさがあった。

真九郎は、笑みをうかべ、歩きだした。

数歩と行かぬうちに、一歩斜めうしろをついてくる亀吉が声をかけてきた。

「旦那」

真九郎は、ふり返らずにこたえた。

「なにかな」

「こいつを見ておくんなせえ」

真九郎は、首をめぐらせた。

亀吉の右手に、朱色の守り袋があった。表情からして、勝次《かつじ》にもらったであろうことは訊くまでもない。

「お守りではないか。いかがした」

「へい。あいつがね、一日も早く願いがかなうようにって。けっしてなかは見ないでねって言われやした」

「そうか。よかったな」

「ありがとうございやす」

亀吉が、守り袋をだいじそうに懐にしまった。

真九郎は顔をもどした。

亀吉と話していると、いまにもふりだしそうな曇天さえもが明るく見える。

菊次は、客の姿がまばらだった。路地とのかどには樽《たる》がおかれ、勇太《ゆうた》が腰かけて見張っている。

桜井琢馬と藤二郎はもどってきたばかりのようだ。

真九郎が座につくと、きくと女中たちが三人の食膳をはこんできた。

酌をして、きくが去った。

真九郎は、唇を湿らせただけで杯をおいた。

琢馬が眼で問いかけた。

「昨夜《さくや》、疵がひらいてしまいました。さきほど、お医者に、くどく言われたばかりです」

「そうかい。なら、その酒は、あとでおいらがもらうよ」

「お願いします」

琢馬が、にこっとうなずき、真顔になった。

「川におちたのも見つかったって報せがあった。たったの四名《めえ》で、疵口がまたひらいちまうほどおめえさんと激しくわたりあったってわけかい。奴ら、以前のように遣い手を小出しにしだした。こいつぁ、おいらたちの読みどおりだな。染吉を餌《えさ》にしておめえさんを呼びださせ、うまく始末ができようができまいが、赤末《せきび》は殺る気《や》でいたってこった」

「わたしも、そのように思います」

「おいら、十六で見習にでたから、もう二十一年になるんだが、こんなに裏の裏まで考《かんげ》えなきゃあなんねえ奴らは、はじめてだぜ。聞いたこともねえ。……ところで、なんか話があるってことだが」

「十九日、和泉屋に誘われて涼み舟をだしたのですが……」

池田屋が語っていたことを、真九郎はくわしくつたえた。

琢馬の一重の眼が刃になる。

「さるお殿さまにたのまれたってのは、嘘《うそ》だな」

「ええ、そのとおりかと。山城屋には殺《あや》めたいほど憎んでいる相手がいた」

「もしくは、ふいに憎むようになった」

真九郎は首肯した。

「その相手もまた」

琢馬がひきとった。

「山城屋を殺してやりてえと思ってて、さきをこしたかもしれねえってわけだ。だがな、いまんとこ、そんな話は聞いてねえ。わかってることは、まだすくねえんだが……」

札差は、幕臣にかわって浅草の御蔵で俸禄米《ほうろくまい》をうけとり、換金するのを生業《なりわい》としている。しかし、それだけでは、手数料がかぎられている。札差たちは、取りはぐれのない俸禄米を担保にして高利で金《かね》を貸すことで巨利をえていた。

幕臣は困窮し、札差はわが世の春を謳歌《おうか》した。

寛政《かんせい》の改革をおこなった松平定信《まつだいらさだのぶ》は、札差棄捐《ふださしきえん》令を断行する。借金証文を反古《ほご》にされた札差たちは、百十八万七千八百両もの損失という大打撃をこうむった。

しかし、札差たちは慎重になっただけであり、本質が変わったわけではなかった。

和泉屋も、先代のころは浅草御蔵前の札差であった。同業仲間の悪辣《あくらつ》なやりように嫌《いや》気《け》がさし、株を証文ごと手放して売りにでていた霊岸島の酒問屋を買ったのだった。

山城屋文右衛門も、そのような御蔵前札差のひとりである。辻斬に遭った日も、吉原で遊興《ゆうきょう》しての帰りであった。

文右衛門は、歳が四十四。六歳離れた内儀とのあいだに、十九と十六の倅、十四と十二の娘がある。

札差としては中規模。吉原がよいをしているが、かといって身代《しんだい》を傾けるほどのめりこんでいるわけではない。札差仲間ともそこそこにつきあい、誰かと諍《いさか》いをおこしてるという風聞もなかった。

「……だからな、相手はもしかしたらお旗本かもしれねえ。となると、おいらたちじゃなくお目付の出番だ。けどよ、闇に大枚を払って山城屋を殺《や》ったからって借金の証文がなくなるわけじゃねえ」

「あるいは」

　琢馬がさえぎった。

「わかってる。面目《めんもく》をつぶされたっててんだろう」

「ええ」

「かもしれねえ。だがな、それだと、山城屋が闇とのつなぎのしかたを知りたがってたってのがわからなくなる」

「桜井の旦那」

　藤二郎が、眉をひそめかげんにして身をのりだした。

「なんでえ」

「そのお旗本に、命はないものと思えって本気でおどされたんじゃあねえんでやんしょうか」

　琢馬が口をひらきかけ、藤二郎から眼を転じた。

「こいつぁ、おいらが話すよりも、おめえさんのほうがふさわしいな。教えてやっちゃあもらえねえか」

「わかりました」

真九郎は、藤二郎に顔をむけた。

「武士は、そのようなことを申したりはせぬものだ。山城屋に堪忍ならぬ無礼があったとする。たとえば、武士としての面目をいちじるしくそこなうことを言われたとしよう。その場で斬り、理由《わけ》をしたため、腹を切ればよい。それで、家名はたもてる。それに、山城屋は札差だ、ふだんから武家とつきあいがある。そのような粗忽《そこつ》をなすとは思えぬ」

ややまがあった。

「たしかに、おっしゃるとおりで。ありがとうございやす」

藤二郎がかるく低頭した。

「待てよ」

琢馬は、畳に眼をおとし、首をかしげていた。

顎をなで、顔をあげる。

「後家かもしれねえ」

真九郎は考え、顔をしかめた。

琢馬が言った。

「おめえさんは気にいらねえかもしらねえ。だが、聞いてくんな。山城屋は女好きだ。

吉原一の花魁《おいらん》だろうが、小判を積みさえすればいい。町家の娘にしたって囲い者《もん》にできねえわけじゃねえ。けど、武家の妻女はそういうわけにはいかねえ」

「借金を帳消しにするともちかけた」

「証文とひきかえのはずだった」

真九郎は眉をよせた。

「たがえたと」

「いや、一枚だけじゃねえかもしれねえって思ったのよ。ご妻女はすべてを返してもらえるつもりでいた」

真九郎は、ゆっくりと首をふった。

卑劣すぎる。が、後家が美しく、文右衛門が色欲にかられたのだとすると、じゅうぶんにありうる。

あるいは、以前からよこしまな思いをいだいていた。

そこへ、闇がつけいる。

文右衛門はどうやってそれを知ったのか。

闇が教えた。

まさかとは思う。が、やりかねない。げんに、琢馬が気づくまでは、殺害したい相手がいたのだと思っていた。

文右衛門は、おのれが助からんがために闇とのつなぎのつけかたを知りたがっていたのだ。

闇の狡猾《こうかつ》さに、真九郎はいまさらながらに舌をまく思いであった。

しかし、殺された三名のうちで、文右衛門だけがおのれが狙われていると知っていたのであれば、なぜかという疑問は残る。

闇は、なにゆえ文右衛門だけはわかるようにしたのか。そこに、なにか理由《わけ》があるはずだ。

江戸は曇天だが、今治は快晴であった。

今治城は、築城の名人であった藤堂高虎《とうどうたかとら》が遠浅の海を埋めたてて造った。

城の東南にある蒼社川《そうじゃ》をこえると、海岸は松原と砂浜がつづく。城下はずれの西北も、磯《いそ》のさきは半里（約二キロメートル）たらずの浅川《あさ》まで松原と砂浜であった。

平城《ひらじろ》である今治城は、三重の堀と背後の蒼社川によって護られている。前面の城下は、はずれに寺がよこにならぶ寺町通りがあり、そこへいたる中央の本町《ほんまち》通りの道幅が二間半（約四・五メートル）で、ほかの表通りは一間（約一・八メートル）余しかない。多勢での侵入を阻むための縄張（設計）である。

浅川にちかい浜に、鷹森太郎兵衛は腰をおろして、来島《くるしま》海峡をへだてた島影に眼をやっていた。

背後の松林の若松に、手綱《たづな》がゆわえてある。太郎兵衛は馬廻組頭である。野駆けにきて、一休みしているふうにしか見えない。

陽が、ようやく西空にかたむこうとしている。

太郎兵衛は、両手を砂につき、頭上の青空を見た。雲ひとつなく、どこまでも澄みきっている。

昨日《さくじつ》は、未明から宵まで雨がふりつづいた。しかし、朝からの陽射しに、道の水溜りは消え、砂も乾いている。

このあたりまでは、家中の者もめったにこない。城内で戸田小四郎とすれちがうさいに、小声でここで待っていると告げた。小四郎も、顔をむけることなくちいさくうなずいた。

やがて、蹄《ひづめ》の音が聞こえてきた。

太郎兵衛はふり返らなかった。

砂を踏む音がちかづいてくる。

太郎兵衛は、左よこを指さした。

だが、小四郎がすわったのは下座にあたる右よこであった。

鷹森家は三百石で、戸田家は三百四十石。家格は戸田家のほうが高い。しかも、父親の戸田左内は大目付の要職にある。いっぽうで、小四郎は、昨年出仕し、帰国して勘定方に配されたばかりである。

太郎兵衛は、顔をむけ、ほほえんだ。

小四郎が笑みを返した。

「鷹森さま、遅くなってしまい、申しわけございません。まっすぐきたのでは疑われかねませんので、すこし遠回りをしました」

これまで、寺町通りの奥にある来迎寺《らいごうじ》で会っていた。帰りにあやうく家中の者とでくわしそうになり、ここで会うことにしたのだった。

「それはよき思案だ。そこまでは思いうかばなんだ」

「ご謙遜を」

「いや、わたしはおおまかな質《たち》だから、とてもおぬしや真九郎のようにはゆかぬ。ところで、祝言は来月の十日だったな。したくはどうだ」

「母と義姉《あね》が、忙しくしております。父に、母上がなにを申してもさからうでないと言われました」

太郎兵衛は苦笑いをうかべた。

「わたしのときも、そうであったな。こと祝言となると、おなごがなにゆえあのように眼の色を変えるのか、わたしにはわかりかねる。母など、いまだに真九郎の祝言をきちんとあげてやることができなかったのが心残りだと言っている。覚悟しておくことだ」

小四郎が噴きだした。

「申しわけございませぬ。兄にも、そのように言われました」

砂浜に、ふたりの笑い声がながれた。

太郎兵衛が表情をひきしめた。小四郎もならう。

「その後のようすを聞かせてもらえぬか。佐吉《さきち》と竹造《たけぞう》は、なにか申してきたか」

佐吉も竹造も、真九郎が目付をしていたころにつかっていた町人である。信用がおけるし、真九郎の名をだせば力になってくれるはずだと書状にしたためてあった。

太郎兵衛がうごけば、真九郎とむすびつけられかねない。しかも、家中で顔を知られている。

それもあって、小四郎に連絡役をひきうけてもらったのだった。

「はい。鷹森さま、ご家老のところの井坂権之助なる者をごぞんじでしょうか」

「知っている。真貫流《しんぬき》をなかなかに遣うと聞いた」

小四郎が首肯した。

「ご家老の懐《ふところがたな》刀だそうにございます」

今度は太郎兵衛がうなずく番だった。

小四郎がつづけた。

「目明しの手先に命じて、噂のでどこをさぐらせておるとのことにございます」

「よし、狙いどおりだな」

「はい」

「佐吉や竹造のしわざだとさとられるおそれはないか」

「ふたりして、あいつにばれるようなへまはしませんと、嗤《わら》っておりました。かの手先は、権之助からもらえる銀《かね》がめあてであって、探索の腕はしれていると申しておりました」

太郎兵衛は、遠く空と海とが接するあたりに眼をやった。

瀬戸内《せとうち》をはさんで安芸《あき》の国がある。しかし、そこで空が海におちているようにしか見えない。子どものころは、それが不思議であった。

太郎兵衛はつぶやいた。

「馬上甚内をこのようなかたちで利用するのは気がとがめるとおぬしに申しておったそうだし、文にも書かれてあった」

来迎寺で最初に会ったとき、太郎兵衛は真九郎からの長い文を小四郎にも読んでもらった。

大久保孫四郎に命じられて江戸の商人を闇討せんとしたのは、放逐された下士の佐和《さわ》大助《だいすけ》と高山信次郎《たかやましんじろう》である。

馬上甚内は、町人を斬る刀はもたぬと断っている。

真九郎は、大久保孫四郎がそのいきさつを鮫島兵庫に報せてはいないと考えている。商人の闇討に手を貸すなど、自慢できる所業ではないからだ。

江戸留守居役の要職にありながら、公儀の耳にまでたっした卑劣なふるまいによって、大久保孫四郎は参勤交代で上府した殿に切腹を命じられた。

馬上甚内は、その孫四郎の子である。

大久保孫四郎が、おのが子に人斬りを命じていたことにする。そして、脇坂小祐太が嵐の晩に行方知れずになった日、馬上甚内は城下にいた。その後まもなく、甚内の姿は城下から消えた。

それが意味するものはなにか。

嵐の夜、ふたりづれの侍を見た者がある。その片方は、甚内と似た大柄であった。

馬上甚内がいたのは大久保家の菩提寺《ぼだいじ》ではないかと、真九郎は考えている。太郎兵衛も、それに相違あるまいと思う。たとえそうでなかったとしても、城下に寺はさほど多くない。だが、太郎兵衛たちが訊いてまわっても、こたえはすまい。

しかし、ことが殿の耳にたっし、大目付の戸田左内が調べるとなるとちがう。馬上甚内を寺に案内した者が分明になる。

寺につれていき、嵐の日に呼びにきたのは中年の武士だったという。太郎兵衛は、井坂権之助ではないかとにらんでいる。

なにゆえ、江戸の大久保孫四郎が国もとの脇坂小祐太を——。孫四郎は、ご家老の甥《おい》御《ご》にあたる。

真九郎は正確な年齢《とし》を知らなかったが、鮫島兵庫は七十になる。婿養子の順之介《じゅんのすけ》が五十で、孫の松太郎《まつたろう》は十八だ。

小祐太は真九郎とおない歳であり、生きていたら二十八になっている。松太郎とは十歳のひらきがある。

順之介は篤実温厚な性格で家中の人望もある。松太郎は将来《さき》が楽しみな若者だとの評判だが、なんといっても若すぎる。

真九郎は、鮫島兵庫が雪江をともなって国をたちのかざるをえないようにしむけたのは太郎兵衛と戸田左内に責めをおわせるためだと書いてあった。

だが、いまの太郎兵衛の考えはちがう。鮫島兵庫は、おそらくはおのが亡きあとを案じたのだ。

太郎兵衛は思う。身贔屓《みびいき》ではなく、真九郎はいずれ大目付であった。そして、順之介のつぎに小祐太が家老となる。

そうなると、いまは鮫島家を見ている家中の顔が、小祐太と真九郎のほうへむくことになる。

国老職という家格への執着と孫への溺愛が、鮫島兵庫を自滅につながりかねぬ暴挙へはしらせたのだ。

真九郎が書いてあったように、鮫島兵庫は容易ならざる策士だ。いずれは、こちらの策に気づくものと思わねばならない。

太郎兵衛は、小四郎に顔をむけた。

「ご家老を追いつめる。佐吉と竹造に、ご家老までからめた噂をながすようつたえてくれぬか」

「かしこまりました」

「これからは、なにがおこるかわからぬ。たがいに用心をおこたるまいぞ」

小四郎が、顔面をひきしめ、うなずいた。

「承知いたしておりまする」

腰をあげたふたりは、袴の砂をはらい、浜を去った。

夕陽が、瀬戸内のうえで、海にかかる鱗雲《うろこ》を薄紅色《うすべに》にそめていた。

第三章　もつれた糸

一

屋根瓦に叩《たた》きつける雨の音に、真九郎《しんくろう》は眼がさめた。

雪江《ゆきえ》が息をのむ気配がつたわってきた。

寝所の足もとすみに有明行灯《ありあけあんどん》のちいさな火がある。薄暗いなかで、雪江が天井を見つめている。

真九郎は、上体をおこして雪江の寝床によった。

雪江の顔にこわばった笑みがうかぶ。

「案ずるな、わたしがいる。おいで」

うなじに手をさしいれ、抱きよせる。

雪江は、華奢《きゃしゃ》で、うなじも細長く、なによりも、あまやかな香りがする。

胸に頬をうめ、雪江がささやいた。

「何時《なんどき》でしょう」

「さきほど、七ツ（四時）の鐘が鳴っていた。こうしているから、いますこし休むがよい」

雪江がちいさく首をふった。

雨は、激しくふりつづけている。

腕のなかに雪江がいる。やわらかく、温かい。ほかにはなにもいらぬと、真九郎は思う。

やがて、厨《くりや》の板戸が開閉した。

毎日、暁七ツ半（五時）すぎに平助《へいすけ》が雨戸をあける。

雪江が、かすかな吐息をもらして躰《からだ》を離した。

晴れた日は朝稽古を欠かさないが、雨がふると、真九郎はすることがない。きがえて、廊下で洗面をすますと、朝餉《あさげ》のしたくができるまで、庭の雨を見ていた。

でかけるころには、雨はいくらか小降りになっていた。足駄《あしだ》（高下駄）をはき、蛇の目傘をさして下谷御徒町《したやおかちまち》の上屋敷へむかった。

昼九ツ（正午）に稽古を終える。晴れた日であれば、下谷御徒町から霊岸島《れいがんじま》四日市町《よっかいちまち》まで半刻（一時間）とかからない。

雪江が弟子たちに教えるのは昼九ツ（正午）までだが、たいがいは真九郎が戻るまで稽古をつづけている。しかしこの日は、迎えにくる手代や女中たちも帰ったあとであった。

中食《ちゅうじき》をとりながら、真九郎は雪江が語る弟子たちのことに耳をかたむけた。終えると、食膳がかたづけられて、うめが茶をもってくる。

雪江がそこにいて、おのれがここにいる。話しているのは、たわいないことだ。が、このように、なんでもなくいっしょにすごせることこそが、とてもたいせつなのではないかと、真九郎は思う。それも、たがいを信じあっておればこそだ。

ふと、ほほえむ。

雪江が首をかしげた。

「どうかなさいましたか」

「雪江とつれ添え、わたしは果報者だ」

眼を伏せた雪江の頬が、ほんのりとそまる。

「うれしゅうございます」

「小夜《さよ》と小四郎《こしろう》とは、もう祝言をあげたのかな」

雪江が顔をあげた。

瞳に、羞恥と喜びがあった。

「そのうちに報《しら》せがまいりましょう」

「そうだな」

しばらくして、茶碗をさげにきたうめに、真九郎は平助を呼ぶように言った。

平助が廊下に膝をおった。

「雨のなかをすまぬが、池田《いけだ》屋へまいり、主の佐兵衛《さへえ》がおるならたずねたいので、都合を聞いてきてくれ」

「かしこまりました」

平助が辞儀をして厨へもどった。

雪江がもの問いたげな眼で見ている。以前とおなじだ。

真九郎は、またひとつ安堵《あんど》した。

「涼み舟で池田屋から聞いたことを、昨日《さくじつ》、桜井《さくらい》どのに話した。それで思いついたことがあるのだ。そういえば、みながときには舟を浮かべるか、浪平《なみひら》の座敷でと申しておった。承知しておいたが、かまわぬかな」

「はい、あなたがよろしければ。百膳《ももぜん》の料理はおいしゅうございますし、盛りつけかたなど、いろいろ学べます」

「それはよかった。甚五郎《じんごろう》が、ここへまいるははばかりがあるので川仙《かわせん》にもきてほしいと申しておった。おみつが、おはるのことを聞きたがっておるのではないかな。そのうち、おりをみて行こう」

　みつは甚五郎の内儀で、八歳のはるはひとり娘だ。

　雪江がうなずいた。

　それからほどなく、表の格子戸が開閉した。

「ごめんくださいまし。池田屋にございます」

　腰をうかしかけると、厨からいそぎ足できた平助が膝をおった。うめが、かたわらにすすぎをおいてひかえる。

「池田屋さんが、おはこびいただくのはおそれおおいとおっしゃいますので、ごいっしょいたしました」

「客間へおとおししなさい」

「かしこまりました」

　平助とうめが上り口へ行った。

「あなた、わたくしは奥でお茶のお復習《さら》いをいたしております」

「そうか」

雪江は、この初冬十月から本式に茶を教える。宗右衛門《そうえもん》が大工をいれて、つかわないときには畳をかぶせられる炉を切らせた。

平助がもどってくるまで待って、真九郎はとなりの客間へうつった。

佐兵衛は、手拭《てぬぐい》を羽織《はおり》の雨飛沫《あましぶき》にあてていた。小降りだった雨が、また激しさをましている。

「池田屋さん、わざわざすまなかった」

「めっそうもございません。いつなりとお呼びください。すぐに参上いたします」

「八丁堀《はっちょうぼり》の桜井どのは、そのほうをたずねなかったかな」

佐兵衛が、怪訝《けげん》ないろをうかべ、首をふった。

「いいえ、お見えになっておられません」

「池田屋さん、これから申すことは他言無用に願いたい」

佐兵衛が表情をひきしめた。

「わかりましてございます」

「うむ」

真九郎は、山城屋《やましろ》文右衛門《ぶんえもん》の殺害にかんする桜井琢馬《たくま》の推測を述べた。

「……おそらくは、当主が他界してそれほどたっておらず、幼い嫡男があるのではないかと思う。舅《しゅうと》や、姑《しゅうとめ》も、おらぬはずだ。それに、山城屋が借金を棒引きするほどに眉目麗《みめうるわ》しい。山城屋の札旦那筋に、そのような女性《にょしょう》の心あたりはないか」

八代将軍吉宗の享保《きょうほう》年間（一七一六〜一七三六）に〝株仲間〟として認可された札差は、当初は百九人であった。そして、寛政《かんせい》年間（一七八九〜一八〇一）に九十六株となる。

俸禄米《ほうろくまい》を委託する旗本や御家人は、札差にとっては旦那である。

やや首をかしげぎみにしていた佐兵衛が顔をあげた。

「申しわけございません。すぐに思いあたるおかたはおられません」

「さようか。もしやと思ったのだが……。わざわざすまなかった」

「いいえ。鷹森《たかもり》さまが、かような御番所の秘事をお話しくだされたのは、手前を信じておいでになるからだとぞんじます。お亡くなりになったかたについてあれこれ申しあげるは、本意ではございませんが……」

「かたじけない。どのようなことでもよい」

佐兵衛が、懇願《こんがん》の眼で念をおした。

「鷹森さまだからにございます」

真九郎はうなずいた。

「商人《あきんど》は、信用が第一。立場もあろうが、話してはもらえぬか」

「ありがとうぞんじます」

山城屋が女好きなのは、佐兵衛もうすうす勘づいていた。

吉原《よしわら》のしきたりでは、客は特定の遊女と馴染《なじみ》となるのであって、つまみ食いは許されない。山城屋は、それをおもしろからず思っているようであった。

山城屋から吉原へと言われたことがあるが、佐兵衛は遠慮した。山城屋を案内して吉原で遊興するとなると、半端な額ではすまないからだ。

しかし、世話になっているので、ときおり深川《ふかがわ》の料理茶屋に招いていた。それも、佐兵衛は一度だけのつもりであった。だが、山城屋にほのめかすようなことを言われると、案内せざるをえなかった。

いまにして思えば、佐兵衛を旗本へひきあわせたのも、そのような下心からであったのかもしれない。

辰巳《たつみ》芸者のなかには、金子《きんす》で春をひさぐ者もすくなくない。

本所《ほんじょ》はずれの小梅村《こうめむら》にある寮に、山城屋は顔見知りになった芸者をとっかえひっかえ呼んでいる。

佐兵衛が知っているのは、山城屋が自慢げに語ったからだ。

このところは、婀娜《あだ》っぽい年増芸者がお気にいりのようであった。

「……先月も、料理茶屋へご案内いたしました」

「よく話してくれた。礼を申す」

「いいえ。鷹森さま、お話の後家となられたご寮人《りょうにん》につきまして、あたってみることにいたします」

「よせと申したいのだが、たのむ。ただし、闇は、人の命を奪うをなんとも思わぬ。よいか、こうしてもらいたい。美しいご妻女で、幼い嫡男をかかえて後家となったかたがおられると耳にしたことがあると申すのだ。先方がぞんじておるなら、どこそこの誰某《だれそれ》であろうと教えてくれる。けっして山城屋の名を口にしてはならぬ。相手さえわかれば、山城屋の札旦那かどうかは、桜井どのに調べてもらえる」

「わかりましてございます」

「山城屋に借金があったであろうに、闇に依頼しておる。おそらくは、嫁《とつ》ぐおりに実家《さと》がかなりの金子をもたせたのではないかと思う。となると、御家人もありえぬではないが、お旗本のような気がする。よいな、世間話のついでに申すのだ」

「かしこまりました」

低頭した佐兵衛がなおった。

「鷹森さま、できますれば、お教えいただけませんでしょうか」

「なにかな」

「手前は、和泉屋《いずみ》さんとは懇意《こんい》にさせていただいておりますが、あのようなことがございましたのでご当人にはお訊《き》きできません」

「和泉屋がたびたび襲われていたことか」

「さようにござります」

宗右衛門の倅《せがれ》と娘は、和泉屋の身代《しんだい》ほしさにじつの父親を殺《あや》めんとした。

「あれも、かの者どもがしわざだ。あのおり、闇とのかかわりができてしまったゆえ、桜井どのにたのまれ助勢をしておる」

「ありがとうございます。これで、いろんなことに得心がゆきました。鷹森さま、手前はこれにて失礼させていただきます。なにかわかりましたら、すぐにお報せにまいります」

「よろしくたのむ」

「はい」

一礼した佐兵衛が腰をあげた。

庭の雨は、また小降りになっていた。


翌日は快晴であった。

雨が、雲を流し、大気を洗い、秋晴れの澄んだ青空がひろがった。

夕刻、桜井琢馬と藤二郎《とうじろう》がたずねてきた。いつものように、琢馬は庭を背にし、斜めうしろに藤二郎がひかえている。

真九郎は、上座についた。

ほどなく雪江とうめが食膳をはこんできた。いったんさがり、藤二郎のぶんをもってきたうめが廊下を去った。

琢馬が、にこっとほほえんだ。

「昨日《きのう》の雨で、いっきに秋らしくなりやがったな。燗《かん》が旨《うめ》えや」

真九郎はうなずいた。

「桜井さん、お叱りをこうむるかもしれませんが、お話ししておきたいことがございます」

「あらたまって、なんでえ」

真九郎は、池田屋佐兵衛への依頼と聞いたことを述べた。

「……お許しもえないで、かってなことをしてしまいました」

「そうかい。池田屋へな。なあに、かまわねえよ。それでなんかわかれば御の字ってもんだ。なあ、おいら、おめえさんに一目も二目もおいてるんだ。遠慮しねえで、思うようにうごいてくんねえか」

「かたじけない。安堵いたしました」

琢馬が、気にするなというふうに首をふった。

「成尾《なるお》さんのごようすはどうですか」

「あいつは、もうでえじょうぶだって言ってるんだがな、あと四、五日は養生させる。いまんとこ、これといってすることもねえしな」

「神田《かんだ》の桔梗屋《ききょう》はどうでしょう。なにかわかりましたか」

琢馬が眉をひそめた。

「そいつが、みょうな具合《ぐええ》なんだ。十二年めえに身投げした娘ははつって名なんだが、きれいさっぱりなんにもでてこねえ」

当時奉公していた女中を捜しだし、残らず話を聞いた。定町廻りだけではなく、臨時廻りも、みずから出向いている。

それでも、なにひとつとして成果がない。

はつは、幼いころから年頃になればいったいどれほど美しくなるかと思わせるととのった面差しをしていた。

桔梗屋は、それこそ掌中《しょうちゅう》の珠《たま》のごとく育てた。習い事も、かどわかしを恐れて師匠を招くほどであった。

「……若え《わけ》娘の身投げだ。ふつうに考《かんげ》えれば、恋煩《こいわずら》い、てごめ、気にそまぬ縁談。ほかになんかあるかい」

真九郎は首をふった。

「いいえ。わたしもそのいずれかではないかと思っておりました」

琢馬が肩で息をした。

「そんなに大事《でえじ》にしてる娘がいやがる縁談を、桔梗屋がすすめるはずもねえ。女中たちも、そんな話は聞いてねえそうだ。恋煩いにしろ、てごめにしろ、なにかあったんなら女中たちが気づいている。ところが、なんで突然身投げしたのか、女中たちもしんそこ不思議がってたそうだ」

「はつは、たしか十五だったのでは」

「ああ、そのとおりよ」

「その年齢《とし》で、周囲をまったく欺《あざむ》けるとは思えませんが」

「だからわからねえのよ」

「しかし、身投げするほどのなにごとかがあった」

琢馬がうなずく。

「縹緻《きりょう》よしの家付き娘だ。嫁に行かなけりゃならねえわけじゃねえ。婿をもらい、親といっしょに暮らせる。たしかに、若え娘《わけ》の身投げにゃあ、なんで死ななきゃなんなかったのかわかんねえのが、まるっきりねえとは言わねえ。けどよ、可愛がってた小鳥が死んだからとか、なんか理由《わけ》があるはずだよな」

「ええ」

「なんかあるはずなんだ。ところが、ひっかかるものがなにもねえ。もの静かで、芯のしっかりした娘だってのが、女中たちの一致した見方よ。湯の世話をしてた女中の話では、しみひとつねえほれぼれするようなきれいな肌をしてたそうだ。だから、躰の悩みでもねえ。むろん、病がちってわけでもなかった」

真九郎は、考え、首をふった。

「そこまでめぐまれていて、いったいなにゆえ死なねばならなかったのか」

「ああ。おめえさんも言ってたように、身投げするほどのなんかがあったんだ、なんかがな」

「桜井さん、お教えくださいい。身投げだと断じた理由《わけ》は」

　琢馬が眉をよせた。

「話してなかったかい」

「ええ、うかがっておりません」

「おいら、とっくに話してると思ってたぜ。そうか、お奉行のことがあったからな。そいつは、すまねえことをした。桔梗屋内儀のつ、た、ってのは、暑い盛りはたいがい小梅村の寮で……」

　琢馬が、ふいに顔色を変えた。

「山城屋の寮も小梅村だったたな」

「ええ」

「あそこは大店《おおだな》の寮がいくつもある。だから、あったっておかしくはねえ。が、小梅村から横川をくだりゃあ、大黒《だいこく》屋もある。こいつは、たしかめなくちゃならねえ。すまねえが、続きはまたにしてくんな」

「むろんです」

「藤二郎、行くぜ」

「へい」

慌ただしく立ちあがったふたりを、真九郎は上り口まで送った。

二

翌二十四日は、上屋敷道場である。

昼九ツ（正午）すぎ、真九郎は下谷御徒町の立花《たちばな》家上屋敷をでた。

いつもの帰路は、忍川《しのぶ》からの掘割にかこまれた出羽《でわ》の国秋田《あきた》藩二十万五千八百石佐竹《さたけ》家の上屋敷裏通りにそって左におれ、三味線《しゃみせん》堀まえの道を新《あたら》シ橋にむかう。

この日は、佐竹家上屋敷から直進して、つきあたりの丁《てい》字路を西におれ、いくつかかどをまがって、和泉橋で神田川をわたった。

神田川の南岸は、下流の浅草御門から和泉橋上流の柳森稲荷《やなぎもりいなり》まで、土手に柳が植えられている。柳原《やなぎわら》土手という。

刀剣から木刀、竹刀《しない》道具まで商っている神田鍛冶《かじ》町《ちょう》の美濃《みの》屋へは、かよい慣れ、近道も憶《おぼ》えた。

真九郎は、柳原土手ぞいのひろい通りを斜めによこぎり、町家をぬうように鍛冶町へむかった。

昨日、主の七左衛門《しちざえもん》には平助を使いにやってある。

暖簾《のれん》をわけて美濃屋の土間にはいると、手代が小走りに報せに行き、下女がすすぎをもってきた。

奥から七左衛門がやってきて、膝をおった。

「鷹森さま、どうぞ奥へ」

「かたじけない」

七左衛門は、和泉屋宗右衛門より二歳下の五十二だが、痩身で頬もこけており、年齢《とし》よりも老けて見える。

客間におちついてほどなく、女中ふたりが茶をもってきた。

真九郎は、茶を喫し、茶碗をもどした。

「美濃屋さん、おりいってたのみがあるのだが」

「手前でお役にたちますならば、なんなりとお申しつけくださいませ」

「じつはな……」

真九郎は、池田屋に話した旗本の後家について述べた。

「美濃屋さんは、ほうぼうのお旗本に出入りしておるかと思う。世間話のついでに、心あたりがないか、さりげなく訊いてみてはくれぬか」

うつむきかげんに耳をかたむけていた七左衛門が、顔をあげた。

「お教えくださいませ。闇一味とかかわりがあるのでございましょうや」

「そのとおりだ。そのほうを巻き添えにはしたくないゆえ、けっして闇の名を口にしてはならぬ。これ以上の事情も知らぬほうがよい。かってな申しようだが、そのような後家がおられるかだけをさぐってくれぬか」

「わかりましてございます」

「すまぬが、たのむ」

店さきで七左衛門に見送られ、真九郎は美濃屋をあとにした。

夕餉《ゆうげ》を終えてほどなく、勇太《ゆうた》が迎えにきた。

桜井琢馬と藤二郎のまえに、食膳があった。きくが、すぐに真九郎のぶんをはこんできて酌をした。

諸白《もろはく》をかるくふくんで杯を食膳にもどし、真九郎は琢馬を見た。

「桜井さん、下谷御徒町からの帰りに神田鍛冶町の美濃屋により、主の七左衛門にお旗本の後家についてあたってみるようたのんでまいりました」

「神田鍛冶町の美濃屋……」

琢馬が、眉根をよせかけて、ほほえんだ。

「おめえさんが刀を研《と》ぎにだしてるとこだな。駿河台《するがだい》あたりのお屋敷へ出入りしてるってわけだ。ありがとよ。こっちのほうも、手分けして渡り中間《ちゅうげん》や下働きをいれている口入《くちいれ》屋にあたらせてる。うまく見つかってくれるといいんだがな」

「ええ」

「きてもらったんは、昨日《きのう》のつづきを話すためよ」

桔梗屋内儀のつたは、仲夏から残暑のあいだは小梅村の寮ですごすことが多かった。寮での養生をすすめたのは、主の久兵衛《きゅうべえ》である。

久兵衛とつたのあいだには、三人の娘ができた。しかし、次女は生後まもなく死亡した。

つたは、久兵衛より十歳年下。十七で嫁ぎ、翌年長女のはつが生まれた。二十歳《はたち》のときに次女が、三女のやえは二十五の子である。しかし、難産で、つたもそれがもとで体調がすぐれなくなった。

十二年まえの夏、つたは娘ふたりと寮ですごしていた。このときも、奉公人は炊事と娘たちの相手をさせるための若い下女ひとりだけであった。

ひときわ暑かったある日、夕餉のしたくができてもはつがこない。呼びにやった下女が、いぶかしげな顔でもどってきて、どこにも見あたらないという。

　黙って出歩くはつではない。

　つたは、すぐさま力仕事などをたのんでいる近所の百姓を神田永富町《ながとみちょう》へ走らせた。駆けつけてきたのは久兵衛だけであった。へたに騒ぎたてると、噂《うわさ》になり、はつが無事にもどってきても疵物《きずもの》となってしまう。

　久兵衛は、ちかくの百姓たちをあつめ、娘を捜してくれるよう頭をさげた。あたりはすっかり暗くなっていた。提灯《ちょうちん》をもった百姓たちが、近在から横川や源森《げんもり》川まで足を伸ばして捜し歩いた。

　だが、はつを見つけたのは、久兵衛であった。

　寮のまえを小川が流れている。当然、百姓たちは川下のほうへ捜しにいった。久兵衛は、なぜだか知らないが川上のほうが気になったと、御用聞きに話している。

　はつは、上流の橋桁にひっかかっていた。着物の裾《すそ》ごと足首を手拭でむすび、両方の袂《たもと》には拳《こぶし》大の石があった。

　川のふかさは、はつの胸あたりまでしかない。が、足首を縛ってあるうえに袂には石がはいっている。

　まるい橋桁も水のなかは苔《こけ》が付着していてすべる。

橋には低いながらも欄干《らんかん》があるので、さらに上流から小川にとびこんだものと思えた。不審な点は、どこにもぬいだ草履《ぞうり》がなかったことだ。これは、誰かが持っていったか、はいたまま入水《じゅすい》して草履だけ流されたとも考えられる。

葬儀は、僧侶を寮に呼んですませた。

弔問をすべて断り、久兵衛は店の者にさえ焼香をさせなかった。

久兵衛が桔梗屋に帰ったのは、四十九日の法要までですませてからであった。つたとやえは、なおしばらく寮にとどまっていた。

毎年の命日になると、夫婦と娘で寮に泊まり、はつの冥福を祈っている。桔梗屋では、はつについてのすべてがいまもって禁句であった。

「……十二年めえ、おいらは吟味方にいた。小名木《おなき》川ぞいの海辺大工町《うみべだいくちょう》に住んでる甚助《じんすけ》爺《じい》さんが、あのあたりの御用聞きだった。頑固な爺さんでな、黒江町《くろえちょう》の八蔵《はちぞう》のとこにいた藤二郎なんか小僧子《こぞっこ》あつかいよ。で、おいらが行って話を聞いた」

甚助によれば、死体《ほとけ》は、生きておればどれほどと思える別嬪《べっぴん》だった。弔問を断るのも、生前の娘を憶えていてほしいからだという。

さもあろうと、甚助は得心がいった。

泣き叫び、とり乱せば、なぐさめようもある。しかし、夫婦ともひたすらに悲しみをこらえていて、声をかけるのもはばかられるほどであった。

はつはなぜ死なねばならなかったのか。

甚助は、小梅村はむろんのこと、神田永富町へもいくたびとなく足をはこんだ。

しかし、なにもでなかった。近所の悪がきどもが、はつ見たさに生垣のまわりをうろうろしていたくらいであった。

下女は、川越《かわごえ》からきている百姓の娘だった。甚助があとで聞いた噂によると、お嬢さまを想《おも》いだすのがつらいのでと、暇をもらって川越へ帰ったとのことであった。

「……というわけよ」

真九郎は、鼻孔から息をもらした。

琢馬が言った。

「わかるぜ。おいらもおんなしよ。娘の死でまちげえねえって思ったんだがな。ところでよ、桔梗屋が最初に絵馬をはずしたのが、七日だ。で、十一日からちがう絵馬を吊《つる》してたんだが、昨日《きのう》で十三日になるっていうのにそのまんまだそうだ。ほかの連中は、やはり孫のためじゃねえかって言ってる」

「しかし、桜井さんは承伏していない。町奉行所をたぶらかすために、闇が命じてそのままにさせている。わたしも、そのように思います。十日吊し、日をおいてことなる絵馬を吊す。闇へのつなぎに相違ありません。たまたまなど、信じかねます」

「おいらもそう思う。だから、もうすこしさぐるようたのんでおいた。それとな、いまも言ったように、桔梗屋の寮からは、まえの小川が横川と源森川のかどにつながってる。山城屋の寮は、三囲稲荷《みめぐり》の裏手にある。桔梗屋の寮とは、四町（約四三六メートル）あまりも離れてる。隅田川《すみだ》の竹屋《たけや》ノ渡《わたし》をつかってるはずだ」

「ええ」

「まあ、うまくいくこともあれば、そうでねえときもあるさ。なにしろ、奴らが相手だからな」

「そうですね」

真九郎は、ちいさくうなずいた。

しかし、頭の片隅に、なにかひっかかるものがあった。

多感な若い娘が、理解しがたい理由で唐突に死をえらぶ。ありえなくはない。それでも、はつの死は釈然としない。

ほどなく、真九郎は琢馬とともに藤二郎の家をでた。

路地で弓張提灯《ゆみはりぢょうちん》をもった勇太が待っていた。路地と裏通りとのかどには樽《たる》がおかれていて、あれいらい、たいがいは勇太が見張りをしている。

つねならば、藤二郎が北町奉行所まで供をし、八丁堀まで送る。その役目が、当座は勇太になった。

きくがいつくしむので、矢吉《やきち》もすっかりなついている。闇に奪われでもしようものなら、きくがどれほど悲しむか。琢馬が、藤二郎に当座は夕刻からは菊次《きくじ》にいるよう命じたのだった。

藤二郎を苦しめるために矢吉を奪う。あるいは、なにごとかから眼をそらさせるために奪う。闇ならやりかねないと、真九郎も思う。

真九郎は土佐守《とさのかみ》を襲撃した浪人たちの吟味を訊いた。

医者の手当によって一命をとりとめたのは、ふたりだけであった。

一味は、ふた月半ほどまえから千住《せんじゅ》宿はずれの荒れ寺にひとりふたりと到着した。年老いた夫婦者の下男下女が世話をしていたのはこれまでとおなじである。手当は、相手を仕留めればひとりあたり切餅《きりもち》（二十五両）ひとつ。が、狙うのが北町奉行だとは知らされていなかった。むろん、荒れ寺には、なにも残っていない。

そして、闇の符丁は赤巳《せきし》。わかったのは、それだけであった。

新《しん》川の二ノ橋のまえで、真九郎は琢馬と別れた。

つぎの日もそのつぎの日も、小雨もようの一日だった。

二十七日は、薄墨色の雲間から陽射しがそそいだ。

奇数日は浅草はずれの坂本村《さかもとむら》にある下屋敷に行く。

老船頭の智造《ともぞう》が漕《こ》ぐ猪牙舟《ちょきぶね》でもどってくると、和泉屋まえの川岸で勇太が待っていた。

辞儀をしたが、桟橋におりてくるようすはない。川面には酒樽をつんだ幾艘《そう》もの舟が浮かび、河岸では人足たちが忙《せわ》しげにうごきまわっている。

猪牙舟がしずかに桟橋についた。

真九郎は、ふり返って智造にうなずき、風呂敷包みをもって桟橋におりた。

桟橋から河岸へあがる。

勇太が、ふたたび低頭した。

真九郎は、小声で訊いた。

「なにがあった」

「高《たけ》えところでお待ちして申しわけございやせん。桜井の旦那に、こっそりお伝《つて》えしろって申しつかりやしたんで」

「それはよい。聞こうか」

「へい。二葉《ふたば》屋の板前《いためえ》が、昨夜《ゆうべ》から帰《けえ》ってねえそうでやす」

二葉屋は、芝浜松町二丁目《しばはままつちょう》にある茶漬け料理屋だ。

「そうか。あいわかった。ご苦労であった」

「へい。あっしはこれで」

勇太が、辞儀をして去っていった。

真九郎は、土蔵のあいだをぬけて通りをよこぎった。酒樽をはこぶ人足たちや振売り、店者《たなもの》、裏長屋の女房たちで、通りはにぎやかであった。

脇道から和泉屋裏通りにでる。

格子戸の左右には、弟子の娘らを迎えにきた手代や女中たちがいた。稽古は昼九ツ（正午）までだが、雪江がこばまないのでわれもわれもとたいがいは真九郎が帰ってくるまでのこって稽古をつづけている。

真九郎は格子戸をあけた。

「ただいまもどった」

うめがすすぎをもってきた。

弟子たちが帰り、中食も終えてくつろいでいると、庭をまわって宗右衛門があらわれた。

用件は推測できた。

真九郎は客間にうつった。

宗右衛門が庭を背にしてすわり、かるく低頭した。

「鷹森さま、さきほどもどってまいりました手代から、二葉屋さんの板前が昨夜《さくや》から行《ゆく》方《かた》知れずだと聞きました」

「わたしも、桜井どのからの使いをもらった」

「ごぞんじでございましたか」

「いや、わたしが知っているのは、帰ってきてないということだけだ。ほかにはなにか」

「なんでも、文をもらい、見世《みせ》が終わると、どこへとも言わずにでかけたそうにございます」

「文をな」

「はい」

「もはや、生きてはおるまい」

宗右衛門が、ゆっくりと首をふった。

「闇がしわざにございましょうか」

「まだわからぬ。だが、ちがうような気がする」

「なにゆえでございましょう」

「文だ。闇が知り人の名をかたったということも、ありえぬではない。だが、かの者どもなら、町奉行所をまどわすために主と板前を同時に殺《あや》めるように思う。主殺害を依頼した者が、板前もたのんだにしては日にちが短すぎる。以前とはちがう。町奉行所に知られてしまったいまは、つなぎさえ容易ではないはずだ。闇も、罠《わな》ではないか用心せざるをえまい」

「たしかに、おっしゃるとおりにございます。では、いったい何者が」

「わかったことを桜井どのが話してくれるであろう。そうすれば、いますこしはっきりするやもしれぬ。そのときは、和泉屋さんにも報せよう」

「ありがとうございます」

「ただ……」

宗右衛門が眉根をよせた。

「どうかなさいましたか」

「うむ。これで、二葉屋の一件はぞんがい早く決着がつくやもしれぬ」

宗右衛門はつづきを待っているようであったが、真九郎は語らなかった。

挨拶をした宗右衛門が帰っていった。

すわったまま見送った真九郎は、腕をくみ、考えにふけった。

つぎの日も、勇太が待っていた。

今度は、霊岸島新堀に架かる湊橋《みなと》のうえだ。

「旦那、お待ちしておりやした。お荷物をお預かりいたしやす」

「すまぬな」

「とんでもございやせん」

真九郎は、風呂敷包みを勇太にわたしてさきになった。

湊橋をおり、人の流れがきれたところで、真九郎はふり返らずにたしかめた。

「板前が見つかったのではあるまい。ほかの者が殺されたのではないのか」

勇太が一歩斜めうしろにちかよった。

「へい。よくごぞんじで。亀《かめ》の兄貴は見世にいるし……。いってえ、誰からお聞きになったんでございやす」

「そうではあるまいかと思っただけだ。それで、誰が殺されたのだ」

「二葉屋の妹と亭主でやす。寝床で心の臓を一突きにされてたそうで」

「さようか。もうよいぞ」

真九郎は首をめぐらせた。

「お送りいたしやす。途中で帰《けえ》ったりしたら、亀の兄貴にどやしつけられやす」

真九郎は、ほほえみ、顔をもどした。

が、内面は、暗くよどむ後悔の念にとらわれていた。まさか、闇がこれほど迅速にしかけるとは思いもしなかった。いまさら悔いてもはじまらないが、昨日のうちに桜井琢馬に会って警告すべきであった。

桜井琢馬にも北町奉行の小田切《おだぎり》土佐守にも、思いついたことがあれば話すように言われている。しかし、確信がないと、つい逡巡《しゅんじゅん》してしまう。おのれの優柔さのせいで、ふたりも命が奪われてしまった。

生きていても、おそらくは死罪となったであろう。だが、たとえそうであっても、慰めにはならない。

三

翌二十九日はなんの報せもなかった。

この年の七月は大の月で、三十日が晦日《みそか》である。

その晦日、真九郎は、上屋敷から両国橋をわたり、本所亀沢町《かめざわちょう》の団野《だんの》道場へ行った。

団野道場へかよいだしたのは、二年まえの初秋七月だ。雪江とふたり、古里《ふるさと》の今治《いまばり》から大坂、京、東海道を旅して江戸にきた。

夜五ツ（八時）の鐘が鳴ってほどなく、道場をでた真九郎は、竪《たて》川をわたり、深川松《まつ》井町《いちょう》二丁目と本所林町《はやしちょう》二丁目のかどで水野虎之助《みずのとらのすけ》と別れた。

二十日《はつか》も帰路を襲われた。闇が北町奉行の小田切土佐守を狙いつづける決意なら、真九郎は邪魔者である。

しかし、国もとの鮫島兵庫《さめじまひょうご》にも依頼されているはずであるにもかかわらず、なにゆえ刺客《しかく》を小出しにするのか。

ひとたびは、遣い手を見つけるためではないかと考えたこともあった。それにしては、やりように策がなさすぎる。

闇の意図を、真九郎は読みかねていた。

なによりも、あまりに人を斬りすぎている。たえまなく斬らせつづけるために、小出しにしているのではないかと疑いたくなるほどだ。

しかし、それではただのいたぶりである。真九郎の殺害を、闇は金子によって請けおっている。そのようなことをするはずがない。

斬ったすべてがやむをえずではなかった。浅手ですますことができたのに、怒りにまかせて刀をふるったこともある。

これほど人の命を奪い、許される道理がない。雪江に子ができぬのも、神仏の怒りではないかと思うことさえあった。

人を斬ることに、真九郎は苦しんでいた。

兄の太郎兵衛《たろうひょうえ》と戸田《とだ》小四郎が真九郎の策をおこなっているのであれば、鮫島兵庫に猶予はない。焦燥《しょうそう》にかられ、闇に催促している。

真九郎は、自嘲の嗤《わら》いをこぼした。

刀を抜きたくないと念じながら、おのれで抜かざるをえなくしている。

御籾蔵《おもみぐら》のてまえではなく、すぎた通りを大川にむかう。新大橋ばかりを帰路にするわけにはいかない。

大川ぞいにくだっていき、万年《まんねん》橋で小名木川をこえた。河口かどにある御船蔵と大名屋敷のあいだをとおり、ふたたび大川ぞいにでる。

真九郎は、川面《かわも》に眼をやった。

夜の底に沈む大川の岸ちかくを、星の淡いあかりを揺曳《ようえい》させて屋根船が追いこしていく。舳《み》両脇の掛行灯《かけあんどん》に火があるだけで、座敷のなかは薄暗い。

去っていく屋根船を、真九郎は眼でとらえつづけた。

霊雲院《れいうん》まえの桟橋をすぎる。しかし、船足がおち、棹《さお》を手にした船頭が、すぐさきにある清住町《きよずみちょう》の桟橋に屋根船をとめた。

真九郎は、鼻孔からおおきく息をはいた。

舳のほうが明るくなる。

浪人三名が、桟橋におりた。ふたりが火をいれた弓張提灯を手にしている。

月はなく、雲間にわずかな星があるだけだ。

弓張提灯をもっていない浪人をまんなかに、三人がじょじょにひらいていく。こちらに眼をすえ、油断のない足はこびでやってくる。弓張提灯は、両方とも無印だ。

真九郎は、川端により、風呂敷包みをおいて小田原提灯《おだわらぢょうちん》をさした。

腰をのばして股立《ももだち》をとる。襷《たすき》をかけているいとまはない。

差料《さしりょう》のなかでは、胴太貫《どうたぬき》の肥後《ひご》が二尺五寸（約七五センチメートル）ともっとも刀身が長い。そのつぎが、二尺四寸（約七二センチメートル）の備前《びぜん》と筑後《ちくご》である。

この日は、襲撃があることを考え、切れ味するどい筑後を腰にしてきた。

右は大川、左は霊雲院の塀。清住町の表店も、すべて戸締りがされてある。灯《あか》りは、わずかな星と三張りの提灯だけだ。

六間（約一〇・八メートル）。

三人が立ちどまる。左右のふたりが、眼を離さずに膝をおり、足もとに弓張提灯をおいた。

真九郎はたしかめた。

「人違いではあるまいな」

「鷹森真九郎、直心影流《じきしんかげ》団野道場が師範代」

「とめてもむだであろうな」

「笑止」

「やむをえぬ」

真九郎は、筑後を抜いた。

三人が抜刀。

まんなかが中肉中背で四十前後。左の塀がわも中肉中背だが、三十そこそこの馬面。右は三十なかばの大柄。

さらにひらきながら、ゆっくりとちかづいてくる。

筑後の切っ先を四十前後の中肉中背に擬《ぎ》したまま、真九郎は通りのまんなかによった。

そして、青眼から八相にとった。

四間（約七・二メートル）。

馬面が、ふいに駆けだした。つぎに大柄、一呼吸おいて中肉中背。

一瞬迷い、馬面にむかう。

たちまち間合を割る。

気合が大気を裂き、白刃が横薙《よこな》ぎにきた。

「キエーッ」

受けさせる気だ。鍔迫合《つばぜりあ》いになれば、残りふたりに斬られる。斜めまえに踏みこんだ左足を軸に反転。うしろにひかれる上体を右足でささえる。

馬面の斬撃《ざんげき》がながれる。と同時に、立ちどまりかけた躰が跳びあがり、刀の勢いを利して反転する。

八相からではとどかない。

背後に剣風。

右足を左足の前方につけて爪先立ちとなり、躰をひねる。両足の踵《かかと》を踏みしめ、中肉中背の上段からの一撃に、筑後を渾身《こんしん》の力で横殴りにぶつける。

「もらったぁーッ」

大柄が逆胴にきた。

筑後の切っ先を地にむけて叩きつけ、返す刀で中肉中背に左手一本の薙ぎをみまう。

中肉中背がとびすさる。

真九郎は見ていない。

右斜め後方から殺気。まわりこんだ馬面だ。大柄は、弾《はじ》かれた刀を左肩にあげて逆袈《ぎゃくけ》裟《さ》に構えんとしている。

中肉中背と大柄とのあいだに、真九郎は跳んだ。足が地面をとらえる。駆けた。川端まで斜めに全力疾走してふり返る。

三人が、刀を右手にさげ、息をととのえながらゆったりと迫ってくる。

真九郎は、ふかく息を吸い、はいた。

左手のみでにぎっていた柄《つか》に右手をそえ、青眼にとる。そして、切っ先を右端の中肉中背に返した。

右から、中肉中背、馬面、大柄とならんでいる。

馬面の位置が、いくぶんかふかい。三人とも遣い手だが、中肉中背の技倆《ぎりょう》がいくらか勝《まさ》っている。

三間半（約六・三メートル）。

歩みをとめた三人が、青眼に構える。腰をおとしかげんにして睨《ね》めあげ、摺《す》り足になった。

真九郎は、左足を足裏ぶんだけひき、切っ先を下段におとしていった。

三間（約五・四メートル）。

肩がうごかぬように、ゆっくりと息を吸い、はく。

川下からわたってきた秋風が、袖《そで》とたわむれ、去っていった。

三人の躰が、殺気でふくらんでいく。すさんだ六つの眼光が射抜かんばかりだ。

真九郎はこらえた。我慢しきれずにとびだせば、三方からの斬撃をあびるだけだ。見るのではなく、三人をとらえる。

足がとまった。

二間（約三・六メートル）余。

たがいに、微動だにしない。

川風がきて、とおりすぎ、またきた。

左端で、大柄の殺気がはじけた。

「キエーッ」

残りふたりよりもさきに、大柄にむかって動く。

青眼からはねあげた大柄の刀身が、面にくる。

左手を突きあげ、右の掌《たなごころ》で柄をささえる。大柄の斬撃が鎬《しのぎ》をすべりおちていく。

右足をひくと同時に切っ先をおとし、神速《しんそく》の楕円《だえん》を描く。剣風をおこし、夜空にきらめいた筑後の切っ先が、大柄の右肩に消え、着衣と肉と骨を縦一文字に裂いていく。

「ぐえっ」

「死ねえーッ」

馬面が、大上段に振りかぶって伸びあがるように撃ちこんできた。

霧月《むげつ》――。

ひいていた右足を軸に躰をまわす。

渾身の一撃ゆえ、途中でとめられない。真九郎の両腕を断つはずであった馬面の刀身が、むなしく奔《はし》る。

その脾腹《ひばら》を、躰をまわした勢いでふかぶかと薙ぐ。

馬面の切っ先が地面を割る。

「な、なにゆえ」

柄頭《つかがしら》に躰がぶつかり、右肩から仰向けにくずおれた。

よこたわり、苦痛にうめいているふたりのむこうで、中肉中背が焼き殺さんばかりの憎悪の眼差《まなざし》で睨《にら》んでいる。

筑後に血振りをくれ、真九郎は川端を離れた。

中肉中背が、睨みすえたままおなじくよこに移動する。

ふたりからじゅうぶんに離れ、真九郎は中肉中背の喉に擬していた筑後を八相に構えた。

中肉中背が、さげていた刀を青眼にとる。

「なるほど、たしかに遣う。だが、そこのふたりとはいささかちがうぞ」

真九郎はこたえなかった。

中肉中背が、青眼から八相にもっていった。

決死の形相だ。

たがいに摺り足になる。

間合を割る。

「オリャアーッ」

「ヤエーッ」

同時に踏みこむ。中肉中背が伸びあがるように撃ちこんでくる。右足をおおきくだした真九郎は、半身《はんみ》となり、筑後を一閃《いっせん》。雷光と化した刀身が、中肉中背の左肩から胸を裂き、左腕を両断。

心の臓を裂かれた中肉中背の眼から光が失《う》せ、刀が左肩よこを力なくおちていく。

真九郎は、とびすさって血飛沫《ちしぶき》をよけた。

中肉中背が、前方にたおれる。

残心の構えをとく。肩でおおきく息をしてから筑後に血振りをくれ、懐紙《かいし》でていねいにぬぐう。

屋根船でこちらに顔をむけていた船頭が、棹をつかった。


仲秋八月になった。

朔日《ついたち》は、真九郎にあわせて雪江の習い事も休みである。

朝四ツ（十時）の鐘が鳴ってすこしして、宗右衛門がきた。

にこやかな表情の宗右衛門と、真九郎は客間で対した。

「和泉屋さん、よきことでもあったのかな」

宗右衛門が肩をおとした。

「そうではございません。いやな話ばかり耳にいたします。ただいま、こちらへ歩いておりましたら、青空が眼にはいりました。せめて、心もちだけでも晴れやかでありたいと思いまして」

「そうだな。二葉屋のことか」

「はい。すでにお聞きおよびと思いますが、昨日《さくじつ》、板前が土左衛門《どざえもん》で見つかったそうにございます」

「いや、まだ聞いておらぬが、さようか、やはり死んでおったか」

「鷹森さまがおっしゃっておられたとおりでした」

二葉屋の妹夫婦が殺されたのは、宗右衛門の耳にはいまだたっしていないようだ。宗右衛門にとっては、二葉屋の主や板前の死よりもつらいできごとである。さらに気重にさせることもあるまいと、真九郎は思った。

宗右衛門が、畳におとしていた眼をあげ、口端《こうたん》をなごませた。

「鷹森さま、八月になりました。十五日は名月にござります。観月を考えておりますが、お弟子筋みなさまとなりますと、それこそ屋形船でもととのえねばなりません。それでは、大仰《おおぎょう》となってしまいます。十五夜と来月の十三夜とに分けておおきめの屋根船でと思うております。お許し願えますでしょうか」

霧月を思いついたのは、昨年の晩秋九月十三夜であった。

「和泉屋さんにまかせるが……」

宗右衛門がうなずいた。

「承知いたしております。鷹森さまが御番所とかかわりがあることは、みなさまごぞんじです」

「なにもなければよいのだがな」

「そのように願っております。では、手前は三浦《みうら》屋さんとご相談してまいります」

一礼した宗右衛門が去っていった。

うしろ姿を廊下で見送り、真九郎は居間にもどって雪江に話した。

昼になり、庭に影ができはじめたころ、桜井琢馬がひとりでたずねてきた。

真九郎は客間にうつって待った。

鴨居《かもい》をくぐるようにしてはいってきた琢馬が、正面にすわった。廊下を、うめが去っていく。

真九郎は、琢馬へ眼をもどした。

「成尾さんがでてこられたのですね」

「ああ。飯のあと、藤二郎と残りの見まわりをやらせてる」

「朝、和泉屋が、二葉屋の板前が土左衛門で見つかったと申しておりました」

「そのこたあ、あとで話すよ。昨夜《ゆうべ》の死骸《しげえ》は始末させたが、あの三名《めえ》だけだったそうだな」

「たしかに、ひとりはかなり遣えました」

「そうかい。やはりな。おめえさんを本気で始末する気があるのか、おいらにもわからなくなってきたよ」

雪江とうめがやってくる。

真九郎が障子に眼をやると、琢馬がひらきかけた口をとざした。

ふたりがはいってきた。

中食を終えたばかりである。食膳は、銚子と杯のほかに、たくあん三切れに梅干一粒《つぶ》で色をそえた小鉢だけだ。

手酌でいっきに呷《あお》った琢馬が、あらたに注《つ》ぎ、銚子と杯をおいた。

「おめえさん、二葉屋の妹夫婦が殺《や》られるとわかってたそうだな」

言外に、なぜ報せなかったと問うている。

「そうではありません」

真九郎は、宗右衛門に語った推測を述べ、つけくわえた。

板前が死ぬ。まっさきに疑われるのは、次男を婿にしようとしている妹である。闇は、愚かではない。妹が兄の殺害を闇に依頼したのでなければ、なにもおこらない。だが、依頼したのであれば、捕縛されるまえに始末される。つなぎのしかたや、どこでそれを知ったのか。そういったことが露顕するのをふせぐためだ。

おのれの子がかわいいのはわかる。しかし、そのために、じつの兄を殺害するであろうか。

「……そこが謎でした。お話しするのは、もうすこしはっきりしてからと考えておりました。申しわけありません。まさか、闇が、これほどすばやくしかけてくるとは思いもしませんでした」

「いや。おいらもな、板前《いためえ》がどうなったかわかったら、まとめておめえさんに言うつもりだった。しくじったんは、おいらのほうよ。まあ、すんだことはしかたがねえ。聞いてくんな」

妹の名はとせ、亭主は清兵衛《せいべえ》。商いは葉茶屋で、屋号は三州屋《さんしゅう》という。

二葉屋庄兵衛《しょうべえ》の殺害は、辻斬《つじぎり》にみせかけた闇のしわざである。

北町奉行所の探索方では、二葉屋に遺恨があって、闇にはらえるだけの金子《きんす》のある者がいないかをさぐるいっぽうで、弟の八兵衛《やへえ》と妹のとせにも疑いの眼をむけていた。

しかし、琢馬たちにも、おなじ疑問があった。娘や倅との縁組を考えているのであれば、兄の庄兵衛にたのめばよい。

八兵衛もとせも、しばしばではないが二葉屋にきていた。しかし、女中たちをふくめ、言い争っているのを聞いたり、不機嫌な顔で帰るのを見た者はいない。つまりは、庄兵衛に相談をもちかけて断られたわけではないということだ。

だから、このところは、殺すほど二葉屋を恨んでいた者がいないかをもっぱらさぐらせていた。

とせと清兵衛は、寝所の蒲団《ふとん》で心の臓あたりを匕首《あいくち》で一突きされていた。匕首は胸に刺さったままであり、ふたりともあばれたようすはなかった。部屋はあらされておらず、蒲団したの財布すら盗《と》られていない。

油をさしてはずされた雨戸には、下の二箇所と左右に苦無《くない》によるらしき諸刃《もろは》の跡があった。

闇のしわざと断じたのは、これまでの忍一味の押込みのやりようと同一だからだ。

板前の太助《たすけ》は、昨日《さくじつ》の朝、芝の鹿島明神《かしまみょうじん》ちかくの砂浜で漁にでようとした者が見つけた。

刃物疵はなかったが、髷《まげ》の元結《もとゆい》の下が窪《くぼ》んでいた。駆けつけた臨時廻りは、金槌《かなづち》で殴られたものとみている。

懐《ふところ》にむすび文《ぶみ》があった。墨はにじんでいたがどうにか判読できた。たいせつな話があるので夜五ツ半（九時）に将監橋《しょうげんばし》にきてくれと書かれてあり、差出し人は八兵衛であった。

将監橋は、増上寺《ぞうじょうじ》の大門《だいもん》から江戸城を背にして品川《しながわ》方面へむかった新堀《しんぼり》川に架かっている。

橋の両側は、川下に町家があるだけだ。しかも、ちかくには食の見世がない。夜になると、表店はすべて戸締りがされ、ひっそりとしている。

調べてみてわかったが、太助は泳げない。したがって、橋から突きおとしてしまえば、死んだ。つまり、殺《や》った者は、太助がかなづちであるのを知らなかった。

それはどうであろうか、と真九郎は思う。知っていて、あえて知らぬふりをしたということもありうる。ただし、そこまで奸智《かんち》に長《た》けておればだ。

おなじ夜、八兵衛は、とせと会っていた。場所は、将監橋よりひとつ川下の金杉《かなすぎ》橋にちかい浜松町四丁目裏通りにある一膳飯屋の二階座敷だ。

三日まえに、とせからの誘いがあった。

実家がどうなるかってだいじなときに、兄妹《きょうだい》でいがみあっているのはよくない。わたしがわるかった。近場の安いところで申しわけないけど、仲なおりのしるしにご馳走《ちそう》させてもらえないだろうか。

八兵衛は、二つ返事で承知した。意地を張ってはいたが、欲の皮をつっぱっているようでやましく思わないでもなかったからだ。妹がおれて詫《わ》びをいれるというのなら、喧《けん》嘩《か》をつづける理由はない。

家は嫡男が継ぐ。自明の道理である。たしかに心もとないところもあるが、自分が後見をすればいい。

とせにあらためて話し、こころよく了解してもらえた。

ふたりが一膳飯屋をでたのは、夜五ツ（八時）の鐘が鳴ってほどなくであった。そろそろと促したのは、とせだ。

八兵衛は、ほろ酔いかげんであった。住まいは、西へ一町（約一〇九メートル）あまり行くだけの片門前《かたもんぜん》三丁目の表店である。

将監橋からも、一町ほどしか離れていない。

とせが夜道のひとり歩きは怖いと言うので、八兵衛は遠回りにはなるが送っていった。妹にたよられているようで嬉《うれ》しかった。

おなじころ、清兵衛もまた、とせを迎えにでかけている。

一膳飯屋の話では、しばらくしてとせがひとりでもどってきた。八兵衛が酔いを醒《さ》ましたいと言うので、新堀川の岸で川風に吹かれていたとのことであった。そして、迎えにきた清兵衛とともに帰った。

琢馬が、皮肉な笑みをうかべた。

「うまくしくんだ気でいやがったんだろうよ」

真九郎は首肯《しゅこう》した。

「太助殺しを八兵衛になすりつけようとした。太助が邪魔なのはわかります。しかし、なにゆえそこまで……」

「まだはっきりしねえんだが、番頭を問いつめたら、ふたりとも派手好きの見栄《みえ》っぱりで、先代までの貯《たくわ》えが底をつきかけるほど内証《ないしょう》は苦しかったようだ。が、それでも、親兄弟に頭をさげるようなまねはけっしてしねえだろうってよ」

「闇があおったのです。そうとしか考えられません」

「ああ、おいらもそう思う。倅が継いだら二葉屋はもたねえ。てめえんとこの身代が一息つくばかりでなく、次男を実家《さと》の跡継ぎにできる。そう言ってけしかけたんだろうよ。いいとせと清兵衛。おいらは、清兵衛のほうが主《おも》だったんじゃねえかと思うんだが、いまとなっては知りようがねえ。和泉屋の娘と倅もそうだったが、欲は人の心を鬼にしやがる」

「おっしゃるとおりです。なんとも、やりきれません」

「ああ、まったくだぜ。だがな、奴ら、いってえどうやって人の弱みをさぐってやがるんだ」

こたえようがなかった。

琢馬がつぶやいた。

「わからねえ奴らだぜ」

残っていた諸白を飲みほしてあらたに注ぎ、琢馬が銚子を食膳においた。そして、たくあんを指でつまむと、いまいましげに睨みつけ、口のなかにほうりこんだ。

真九郎はあっけにとられた。

――黄も闇の色ではある。それにしても、しかし……。

四

二日、上屋敷道場から帰ってくると、土間に川仙の徳助《とくすけ》がいた。

ほかの手代三人からは離れた土間のすみに、徳助はいつも立っている。格子戸ごしに真九郎が見えると、手代たちが上《あが》り框《かまち》から腰をあげた。

通りにまで琴の音《ね》がながれている。

真九郎は、格子戸をあけた。

お帰りなさいませと、手代たちが挨拶をして低頭する。真九郎は、笑みをうかべて徳助にもうなずき、風呂敷包みを上り框において奥へ声をかけた。

徳助が懐から文をだした。

真九郎は、うめに風呂敷包みをもたせてさきに行かせ、甚五郎からの文をひらいた。文をおりたたんで懐にしまい、徳助を見る。

「返事を書く」

徳助が顎《あご》をひいた。

文には、お昼をさしあげたいので、三日の帰りによってもらえないだろうかとしたためてあった。

真九郎は文机《ふづくえ》にむかい、昼は妻と食したいのであとで徳助を迎えによこしてもらいたいと書いた。

むすび文にして徳助にわたしてほどなく、琴の稽古が終わった。

雪江と居間でくつろいだあと、真九郎は平助を使いにやって宗右衛門を呼ばせた。でかけていた。どこへ行ったのか知りたかったが、その思いをおさえた。

夕七ツ（四時）の鐘が鳴って小半刻（三十分）ほどたったころ、宗右衛門が庭をまわってきた。

表情に注意したが、ふだんとかわらない。真九郎は安堵し、客間にうつった。

膝をおった宗右衛門が、かるく低頭した。

「鷹森さま、ご用だとうかがいました」

「二葉屋の一件に決着がついたので、話しておこうと思ったのだ」

「ありがとうぞんじます」

真九郎は、淡々と語った。

宗右衛門の顔に、途中で翳《かげ》りがさし、やがて心痛にゆがんだ。

命を狙われた宗右衛門が、深川で最初の闇討に遭ったのは昨年の仲春二月中旬であった。それからいくたびとなく襲われ、仲夏五月下旬に、娘のふじと倅の長太郎《ちょうたろう》とが磔《はりつけ》になった。

いまだ一年と二カ月しかたっていない。

終わりのほうは、顔をうつむけかげんにしていた。

真九郎が口をつぐむと、重い沈黙がたれこめた。

宗右衛門が、懐に手をいれ、手拭をだした。

「鷹森さま、お許しください」

声が震えている。

手拭を眼にあてた。

真九郎は、庭に眼をやった。

土蔵の白壁と屋根瓦、そのうえに雲ひとつない秋の青空がひろがっている。澄みきった色がまぶしい。それでも、真九郎は視線をただよわせていた。

やがて、宗右衛門が手拭を懐にしまった。

真九郎は詫びた。

「すまぬ」

「いいえ。お気づかい、ありがたくぞんじます。おかげさまで、手代やよそさまからお聞きしてもうろたえずにすみます」

「和泉屋さん。わたしは、人の心は弱いものだと思うておる。だからこそ、闇のやりようは許せぬ」

「手前も、そのように思います」

「酒を用意させよう。すこし飲むがよい」

「おそれいります。ちょうだいいたします」

真九郎は、廊下で雪江を呼んだ。居間にいたが、太助殺害のあたりで厨へ行ったのが気配でわかった。

板戸をあけて雪江がでてきた。

「酒をたのむ」

「はい」

真九郎はもとの座にもどった。

「鷹森さま、さきほどまで、三浦屋さんと浪平におりました」

真九郎はつとめて明るい声をだした。

「ほう、浪平にまいっておったのか。月見の件かな」

「さようにございます。百膳さんにもおいでいただき、相談いたしておりました」

食膳がはこばれてきて、しばらく杯をかたむけた。


つぎの日、昼八ツ（二時）の鐘を聞いてしばらくして、表の格子戸が開閉した。

真九郎は、厨の板戸をあけた平助を制して上り口へ行った。

徳助が右手にもっていたおりたたんだ紙をさしだした。真九郎はひろげた。甚五郎が屋根船で待っているとあった。

「刀をとってくる」

徳助は口がきけないわけではない。甚五郎が娘のはるのおかげで、男にしては甲高い声を聞いたことも、鬼瓦のごとき面貌《めんぼう》が目尻をさげて笑うのを見たこともある。

徳助の無口を許しているのは甚五郎の心づかいである。だからこそ、子分たちは心酔しているのであろう。

真九郎は、居間にもどり、雪江に言った。

「屋根船で甚五郎が待ってるそうだ」

寝所の刀掛けに小脇差をおき、大小を腰にさした。

雪江が廊下をついてきた。

「行ってらっしゃいませ」

真九郎は、ほほえみ、表にでた。つづいた徳助が格子戸をしめる。

この日も快晴であった。白い綿雲がそこかしこに浮き、秋のやわらかな陽射しがそそいでいる。

和泉屋まえの河岸で、真九郎は徳助をさきに行かせた。

屋根船の舳《みよし》からのった徳助が障子をあけた。

真九郎は、腰の刀をはずして草履をぬぎ、身をかがめてなかにはいった。

徳助が障子をしめる。

座敷には二脚の食膳があった。下座の甚五郎が、膝に両手をおいてかるく低頭した。

真九郎は、うなずき、すわって左よこに刀をおいた。

「甚五郎、せっかくの誘いを断ってすまなかったな」

「わっちのほうこそ、気のきかねえことをいたしやした。勘弁なすっておくんなせえ」

甚五郎がふたたび低頭した。

屋根船が桟橋を離れる。

「旦那、徳助には霊岸島新堀から亀島川《かめしま》へへえり、ここにつけるよう申してありやす。手酌で申しわけありやせんが、一杯《いっぺえ》つきあっておくんなせえ」

「かたじけない」

「めえにもお願いしやしたが、奥さまとぜひともおでかけくだせえ。いつでもけっこうでござんす。お待ち申しておりやす」

「雪江には話してある。ちかぢかたずねるとしよう」

「ありがとうござんす」

真九郎は、銚子をもって杯に注いだ。

小皿にしめ鯖《さば》、小鉢に鮹《たこ》と昆布《こぶ》の酢の物があった。

はんぶんほど残して、真九郎は杯をおいた。

「旦那、佃島《つくだじま》の担売りのことがわかりやした」

真九郎は驚いた。たのんでから半月ほどしかたっていない。

「早かったな」

「たまたまでござんす」

そうではあるまいと、真九郎は思った。

「甚五郎、礼を申す」

「旦那、昇吉《しょうきち》じゃなく、六助《ろくすけ》って名でござんす。年齢は三十八。七年ぶりにひょっこり帰《けえ》ってきたそうでやすから、まちげえござんせん」

「やはり名を偽《いつわ》っておったか。もはやおるまいな」

「お察しのとおりで。ですが、旦那。またもどってめえりやす」

「まことか」

甚五郎が力強くうなずく。

「六十四になる母親が、帰《けえ》ってきてくれって泣きついたそうで。いったん上方《かみがた》へもどり、主に江戸の古着屋へかえてもらえるようお願《ねげ》えするそうにござんす。遅くとも、来年の春には帰ってくるんで、心配《しんぺえ》しねえようにと話しておったとのことにござんす」

「さようか。江戸の古着屋へな」

真九郎は考えた。

「甚五郎、桜井どのと相談せねばならぬゆえ、あらためて話すといたそう。二葉屋については、おおかたわかった」

あらましを語るまで黙って耳をかたむけていた甚五郎が、吐きすてた。

「外道《げどう》どもめ。酷《むげ》えまねしやがる」

屋根船が桟橋についた。

「旦那、それではお待ちしておりやす」

「その六助と申す者のこともある。数日ちゅうに、たずねる」

家にもどった真九郎は、平助を呼んで菊次へ使いにやった。

陽が西にかたむきはじめたころ、勇太が迎えにきた。

客間には成尾半次郎《はんじろう》がいた。

真九郎は、笑みをうかべ、半次郎の正面にすわった。

「本復なされたそうですね。なによりです」

「ありがとうございます。桜井さんから修行についてお聞きしました。この冬から、はげむことにいたします」

桜井琢馬が、呆《あき》れ顔で半次郎を見た。

「おい、半次郎。おいら、おめえの親父《おやじ》どのにたのまれてるんだぞ」

「承知しております。ですから、鷹森さんを見習って稽古は早朝にいたします」

「おいらが言いてえのは、そういうことじゃなくてだな……」

きくが真九郎の食膳をはこんできた。

「桜井の旦那、なにをもめてるんです」

琢馬が苦笑をもらした。

「なんでもねえよ」

きくが酌をして去った。

真九郎は、唇をしめらすだけにして杯をおいた。

「桜井さん、佃島の担売りのことがわかりました」

「甚五郎かい」

真九郎は首肯した。

「ええ」

「そいつはすげえ。香具師《やし》の元締で、浅草の親分だって威張ってるだけのことはあるな」

真九郎は話した。

琢馬が、畳に眼をおとし、顎をなでながらつぶやいた。

「佃島か。ちいさな島で、みな顔なじみだもんな。余所者《よそもん》がへえるとすぐにわかる」

琢馬が顔をあげた。

「こうしちゃもらえねえか。いまも言ったような理由《わけ》で、藤二郎の手下《てか》がうろうろすると、かえってめだっちまう。その六助ってのが帰《けえ》ってきたら、教《おせ》えるよう甚五郎にたのんでもらえねえか」

「承知しました」

「おめえさんも、おんなし考《かんげ》えだろうが、六助のような小者はどうでもいい。狙いは古着屋よ、なんとしても押さえてえ」

「わかります。わたしからもよくたのんでおきます」

「すまねえ。甚五郎に、なんかあれば言うように伝《つて》えてくんねえか。奴に借りはつくりたくねえんだ」

真九郎はほほえんだ。琢馬と甚五郎とはそりが合わない。

「申しておきます」

「よし」

琢馬が、諸白を注ぎたしてぐっとあおった。

半次郎も藤二郎も、晴れやかな笑顔になった。真九郎とて、思いはおなじであった。

これまで捕縛したのは、捨て駒の浪人たちだけだ。闇のしくみからして、古着屋からいっきょに頭目にたどりつくのは望み薄である。

しかし、上手《じょうず》の手から水が漏れるの諺《ことわざ》もある。たとえ、僥倖《ぎょうこう》にめぐまれなくとも、古着屋が誰の命で動き、誰に報告しているかは判明する。あとは、さらにたどってゆけばよい。

琢馬が、刺身を食べて箸をおいた。

「なあ。お奉行に、今宵、おめえさんをつれてきてくれってたのまれてる。礼の品を受けとってもらえねえなら、せめて一献《いっこん》かたむけてえそうだ。おいらにつきあってくれるかい」

「ええ、喜んでお供します」

琢馬がほほえんだ。

「そうかい。なら、夕餉をすませたころをみはからって、迎えに行くよ。ところで、聞いてくんな。神田の桔梗屋と、二葉屋の一件とは関係《かんけえ》ねえのがはっきりした。浅草の山城屋も、たぶん桔梗屋がらみじゃねえ。となると、残るは深川の大黒屋だけだ。ちがうかい」

「いいえ、そのとおりかと思います」

「深川は、おいらの持ち場だ。大黒屋が最初に殺《や》られたっていうに、いまだになんにもつかめねえんだ。おめえさんの知ってることばかりなはずだが、もういっぺん話すから、なんか思いついたら言ってくんねえか」

「わかりました」


真九郎が四日市町から塩町《しおちょう》の菊次へむかっていたころ、鷹森太郎兵衛は松林の枝に手綱をむすんでいた。

ちかくの若松のよこに、戸田小四郎の馬がいる。

太郎兵衛は、松林から浜へおりていった。

砂を踏む音に、小四郎がふり返って立ちあがった。

「小四郎、待たせたかな」

「いえ、わたくしもさきほどついたばかりです。鷹森さま、急なご用とは」

太郎兵衛は顔色を変えた。

「なにッ。急用があるのはおぬしではないのか」

小四郎も顔面をこわばらせた。

「お城からの帰りに町人に呼びとめられました。鷹森さまがいつものところで待っているので、いそいでくるようにとのことにござりました」

「わたしは非番で屋敷におったが、やはり町人がおぬしの言付けをもってきた」

ふたりは、言いあわせたように周囲に眼をくばった。

松と馬二匹がいるだけだ。白い砂を瀬戸内《せとうち》の波が洗う音がするだけで、浜にも見わたすかぎり人影はない。

「小四郎、われらがここで会《お》うてるのを知ってる者がおる」

「はい、まんまと誘いだされてしまいました」

太郎兵衛は、すばやく思案をめぐらせた。

「待ち伏せて、矢で狙うに恰好《かっこう》の場所がある」

小四郎がこたえた。

「城下はずれの林」

「そうだ。小四郎、ここで迎え撃つとしようぞ。馬をうつす」

「こころえました」

ふたりは、いそぎ足で松林にむかった。

太郎兵衛は、よこを歩く小四郎に声をかけた。

「息をふかく吸え。気をおちつけるのだ。馬を怯《おび》えさせてはならぬ」

「かしこまりました」

ふたりは、浅《あさ》川の河口まで馬をひいていき、松の枝に手綱をしっかりとゆわえた。もとの位置から、さらに城下よりに移動する。敵を馬からひき離すためだ。松がほかよりもまばらな場所の浜との境で、ふたりは襷をかけた。股立もとり、手拭で額に汗止めをする。

太郎兵衛は、袂からだしたもう一枚の手拭を歯で噛《か》み、まんなかから縦に裂き、くりかえして四本にした。二本を小四郎にわたす。

小四郎をうながして、左膝をつく。裂いた手拭をおり、右足のうしろからまえにまわして交差させ、外がわから鼻緒にとおして甲から草履ごと足裏にわたして甲でむすぶ。左足も同様にして草履を固定する。

太郎兵衛は、立ちあがって野袴《のばかま》のよごれをはらった。

小四郎も、腰をあげた。

太郎兵衛は訊いた。

「おぬし、人を斬ったことがあるか」

小四郎が首をふった。

「ございません」

「わたしもない。相手は敵だ。当方に害をなす獣《けもの》だと思うことにしようぞ。よいな、肝を据え、相手を人だと思うてはならぬ」

小四郎が、肩でおおきく息をして力強くうなずいた。

「敵が何人であろうと、おぬしはわたしの背後をかためろ」

「いえ、わたくしが……」

太郎兵衛はさえぎった。

「年寄扱いするでない」

「申しわけございませぬ」

太郎兵衛は、笑みをうかべた。

「祝言をひかえたおぬしに疵でもおわせては、脇坂《わきさか》さまや小夜どのに合わす顔がない。江戸の真九郎や雪江にもな」

「お言葉にしたがいます」

「うむ。たのむぞ」

ふたりは待った。

秋の陽が、瀬戸内のうえをゆっくりと西へかたむいていく。

小半刻（三十分）ほどがたった。

松林への小径《こみち》のあたりから、影が小走りにやってきた。太郎兵衛はかぞえた。浪人風体の者が七人だ。

浪人たちは、まっすぐにふたりがいた浜を目指している。

浜にでた浪人たちが左右に眼をはしらせた。

先頭をやってきた者が左右に声をかける。七人が抜刀していっせいに駆けだした。

彼我《ひが》の距離、おおよそ二十間（約三六メートル）。

太郎兵衛は、襲われたさいにそなえて、このところずっと家伝の一振りである鬼塚吉国《おにづかよしくに》を腰にしている。小四郎の差料は真九郎に譲られた業物《わざもの》である。

「小四郎、ゆくぞ」

「おーッ」

ふたりは、抜いた刀の切っ先を右よこ斜めしたにむけ、左手で大小の鞘《さや》を押さえた。

太郎兵衛が駆け、小四郎がつづく。

浪人たちが悪鬼《あっき》の形相で迫ってくる。

太郎兵衛は、おのれに言い聞かせた。

修行を信じるのだ。

雑念をはらう。

勢いを減じることなく浪人たちが突っこんでくる。

気後れは死につながる。

柄に左手をそえる。切っ先が右斜めうえをむく。

先頭が叫ぶ。

「オリャーッ」

太郎兵衛も、満腔《まんこう》からの気合を放つ。

「トオーッ」

敵の白刃が大気を裂き、まっ向上段から面にくる。吉国が奔《はし》る。敵の左肩から、着衣と肉と骨とを、紙のごとく断っていく。

左腕を両断。血飛沫が散る。

「ぐえっ」

敵の刀がながれ、斜めに倒れていく。

「死ねえーッ」

二番手も上段からきた。

下から弾きあげ、切っ先に弧を描かせて胴をみまう。

敵がとびすさってよけた。

左右をまわった残りの敵が、ふたりをかこまんとしている。不利だ。そのまえに突破すべきだが、うしろに小四郎がいる。

太郎兵衛は青眼に構えた。小四郎が背後をとる。太郎兵衛は、正面にいる二番手に問いただした。

「襲われる憶えはない。それがしは鷹森太郎兵衛。そこにおるは戸田小四郎。おぬしら、何者だ、名のれ」

「………………」

「誰にたのまれた」

「………………」

無表情な眼光がはねかえってきた。

全身からすさんだ死臭を発散している。人を斬りすぎて、なんとも思わなくなってしまったのだ。

背筋をかすかな戦慄《せんりつ》がかけのぼった。

敵が、いずれも青眼に構え、摺り足でじょじょにかこみをせばめてくる。

左よこでうつぶせになっている敵は、息絶えたかぴくりとも動かない。その仲間を、見ようとさえしない。眼をすえ、じりじりと圧迫を強めてくる。

太郎兵衛は、ゆっくりと息を吸ってはくのをくり返し、臍下丹田《せいかたんでん》に気をためた。

敵がぴたりと止まる。

瞬間、太郎兵衛はとびこんだ。

正面に行くとみせかけ、右に踏みこむ。斬撃を摺りあげ、左からの一撃に吉国を叩きつけ、返す刀で右に逆胴をいれる。

わずかに届かない。

さっと踵《きびす》を返す。

ひとりが、小四郎の左よこにまわり、いましも刀を振りかぶらんとしている。

太郎兵衛は、二歩で間合を割り、かつぎあげるようにして振りかぶった吉国で敵の右脇から脾腹まで縦一文字に斬りさげた。

「ぎゃあーッ」

敵の横顔が苦悶《くもん》にゆがむ。

背後から殺気。

左足をおおきくひいて躰をまわし、柄を眼前にたてる。間合を割らんとしてた敵が踏みとどまる。

うしろで、たてつづけに刀が嚙みあう甲高い音がひびく。

小四郎がふたりを相手にしている。

「ぐえっ」

小四郎の声ではない。

残り、四人。

太郎兵衛は、両足の爪先を右端の敵となかの敵とのあいだにむけ、青眼にとった。まんなかの敵がすばやく左右に目配せして一歩しりぞいた。左右も倣う。三人が、太郎兵衛に切っ先を擬したままで浜へおりていく。

太郎兵衛は首をめぐらせた。

小四郎に対していたひとりも浜へとしりぞきつつあった。

周囲には三名が倒れている。ひとりはぴくりとも動かないが、ふたりは呻吟《しんぎん》している。

敵の移動にあわせて躰をめぐらせた小四郎の右肘から血がしたたっている。

「小四郎、疵をおっておるではないか」

「かすり疵です」

「やれるか」

「おまかせください」

「ならば、この者どもを盾にしておるとは思われたくないが、どうだ」

「お供します」

「よし」

敵四人は、よこにひろがっている。

ふたりは、慎重な足はこびで浜をおりていった。それにあわせるように、敵四人が左右にわかれた。ふたりが浅川を背にして太郎兵衛へ、残りふたりが小四郎の正面へまわりつつある。

太郎兵衛はささやいた。

「小四郎、いっきに決着をつけるぞ」

「こころえました」

「わたしは斬りこむ。おぬしは受けろ」

「承知」

太郎兵衛は、駆けだした。

ふたりが眦《まなじり》をけっする。

「オリャーッ」

「キェーッ」

左の斬撃が速い。左よこから摺りあげるとみせかけ、返した刃で敵の鎬を叩く。敵の左がわを駆けぬけながら脾腹を薙ぐ。

「ぎえっ」

左足を踏みこみ、躰をひねる。右足がうしろへながれる。

「もらったーッ」

まっ向上段からの一撃がきた。

踏みしめた右足に体重をかけながら、左腕を突きあげ、右の掌《たなごころ》で柄をささえる。と
たんに、渾身の斬撃が襲い、敵の刀身が鎬をすべりおちていく。

左足をひき、敵の背を逆袈裟に斬りさげる。

「ぎえーっ」

小四郎へ眼をやる。挟撃《きょうげき》せんとする敵をたくみに動きながらかわしている。

太郎兵衛は、走った。

その気配に片方がふり返る。そこへ踏みこんだ小四郎が一刀をあびせる。

「ぐあっ」

敵の顔が苦悶にゆがむ。

「危ないッ」

太郎兵衛は叫んだ。

小四郎が、身をひるがえして斬撃を受ける。額のすぐうえにある鍔で、一撃がとまる。

とびこんだ太郎兵衛は、左脇下から腹へとしたたかに斬った。

心の臓を裂かれた敵の眼が、たちまち生気を失う。

小四郎が刀を振り、敵が斜めにくずおれた。

ふたりは、肩をいくたびも上下させた。そして、刀に血振りをくれ、懐紙をだしてていねいにぬぐった。

刀を鞘におさめた太郎兵衛が、身震いをはじめた。

「いかん、武者震いが、して、きおった」

「それがし、も、です」

「ウオーッ」

太郎兵衛は、海にむかってあらんかぎりの声で叫んだ。

小四郎もならう。

ふたりは、震えがおさまるまで叫びつづけた。

太郎兵衛はおおきく息を吸いこんだ。

汐《しお》の香りが胸腔《きょうこう》にひろがる。

「小四郎、手拭があるか」

「これに」

小四郎が、懐からだした。

「疵を見せろ」

右の二の腕に二寸（約六センチメートル）たらずの疵が斜めにはしっていた。疵口を手拭でまいてむすびながら、太郎兵衛は言った。

「まずは、おぬしの屋敷だ。疵の手当と、戸田さまへご報告せねばならぬ」

汗止めと襷をはずしたふたりは、馬をつないである浅川河口へいそいだ。


その夜、真九郎が迎えにきた桜井琢馬と北町奉行所の役宅で小田切土佐守に会っていたころ、鮫島兵庫は夕餉もとらずにいらだちを抑えて待っていた。

陽がおち、宵になって半刻（一時間）あまりがたち、ようやく廊下から声がかかった。

「殿」

「はいれ」

入室して障子をしめた井坂権之助《いさかごんのすけ》が、その場で平伏した。

兵庫は、性急に問うた。

「首尾はどうであった」

「はっ」

権之助が平伏したままこたえた。

「三名の者は、無事におとしました」

「太郎兵衛と戸田の小倅は」

「ひとりとして、もどってまいりませんでした」

「なんだとッ」

兵庫は腰をうかしかけた。

「はっ。やはり、それがしもまいるべきでしたかと」

「それはならぬと申したではないか。……七名ぞ、七名。手練《てだれ》をよこしたはずだ。それがしくじるとは」

「申しわけございませぬ」

権之助が、さらにふかく平伏する。

兵庫は、眼をとじ、腕をくんだ。

「そのほうを責めておるのではない。ご苦労であった。さがって夕餉を食するがよい」

障子がしめられてもなおしばらく、兵庫は瞑目《めいもく》したままであった。

なにか見おとしてないかを、懸命に考える。

浪人どもとおのれをむすびつけるものは――。ない。権之助の願いをしりぞけて同道させなかったのは正解であった。

「だいじない、疑いはかからぬ。それがために、策を講じたのだ。にしても、兄弟そろってかほどに遣うとは。戸田の小倅めはまだ生かしておいてもよい。が、鷹森太郎兵衛に真九郎の両名は、なんとしても亡き者にせねばならぬ。……ええい、このままでは、苦労が水の泡ぞ」

独語にしては声がおおきすぎた。いや、声をだしていることにさえ気づかぬほど、兵庫は焦燥にかられていた。

第四章　非情

一

翌朝、今治《いまばり》は城内も城下も騒然としていた。

前日の夕刻、倅《せがれ》の小四郎《こしろう》が鷹森太郎兵衛《たかもりたろうひょうえ》ともどってきたのに、大目付の戸田左内《とださない》は驚いたようであった。しかも、小四郎は浅手とはいえ刀疵《かたなきず》をおっている。

説明をもとめられた太郎兵衛は、途中でたまたまいっしょになったので浅《あさ》川ちかくの浜まで野駆けをしたのだが、そこで七名の狼藉者《ろうぜきもの》に襲われたのだと語った。

当方が名のり、誰何《すいか》したにもかかわらず、無言で斬りかかってきたので、やむをえず小四郎とふたりで七人を斬りふせた。

左内の判断は速かった。目付を呼びに中間《ちゅうげん》を走らせ、太郎兵衛には屋敷にもどっているようにと告げた。

それ以降のできごとを太郎兵衛が知ったのは、今朝になってであった。

宵にはいってもたらされた報《しら》せは、左内を愕然《がくぜん》とさせた。

左内は、浅川ちかくの浜からもどってきた目付の報告を聞いていた。浪人体の七人は事切れており、身元をあかすようなものはなにも所持していなかった。死骸《しがい》は、とりあえず村の寺にはこばせてある。

そこへ、鮫島《さめじま》家の家士がたずねてきた。城下はずれの磯《いそ》で、鮫島順之介《じゅんのすけ》が無惨に斬り殺されているのを捜しにいった小者が見つけたのだという。亡骸《なきがら》は磯にそのままにしてあるとのことであった。

左内は、兵庫《ひょうご》への弔意と、亡骸を屋敷まで届けるむねを告げて家士を帰らせた。そして、目付を磯へ行かせ、みずからもきがえて主君へ目通りを願うべく登城した。

この日は、朝から主君の御前において重臣たちによる評定がもたれた。だが、鮫島兵庫は列座していない。身内のことなので遠慮したいと登城さえひかえていた。さすがにご家老と、これには誰しもが納得した。

登城した太郎兵衛は、つぎつぎとかけられる見舞いの言葉にていちょうに返答していた。だが、頭のなかは、混乱の極にあった。

昨日《さくじつ》の刺客は、鮫島兵庫に雇われた者たちだと思っていた。しかし、おなじ日に、鮫島順之介が何者かに惨殺された。

朝から、城内は二件の変事でもちきりであった。ふだんであれば、太郎兵衛は風聞になど信をおかない。

が、この日ばかりは、さりげなく耳をかたむけた。

順之介とは、顔を合わせれば挨拶をするていどで親しくしているわけではなかった。

昨日は、順之介も非番であり、昼八ツ半（三時）ごろに釣り道具をもって屋敷をでた。

釣りが道楽というだけあって、非番の晴れた日はそのじぶんにでかけるのがつねであった。

帰りが宵になるのもめずらしくはなかった。順之介は温厚できさくな人柄であり、漁師や百姓、町家の者たちと居酒屋にはいることがあったからだ。順之介は、むしろ庶民の話を聞くことを好んだ。

当人は明言したわけではないが、いずれ藩政に役だてるつもりであったにちがいない。

現に、ときには聞いてきた話を兵庫の耳にいれることもあったという。

太郎兵衛は、兵庫の耳へうんぬんは憶測であろうと思った。家中のほかの者が同座しているところで、順之介がそのようなことを口にするはずもない。兵庫はなおさらである。

順之介は、ながいこと島方の代官を勤め、いまは郡奉行《こおりぶぎょう》であった。藩政の担い手としては、兵庫にくらべると見劣りがする。

しかし、分け隔てなく言いぶんをよく聞く篤実温厚《とくじつおんこう》な人柄に期待する者も、家中にはすくなからずいた。

その鮫島順之介が何者かに殺害された。背中を斬られ、頸《くび》の血脈も断たれていたという。

止《とど》めを刺したのだ。

刀には手もかけておらず、懐中《かいちゅう》の財布もそのままであった。つまりは、物取りのたぐいではない。

おなじじぶんに、鷹森太郎兵衛と戸田小四郎も襲われた。

鮫島順之介は順調にいけばつぎの国家老であり、鷹森太郎兵衛は来春に馬廻りの番頭に就《つ》く。

どちらも恨みをかうような人柄ではない。ましてや、両人ともにとなると、いったい何者が、いかなる理由《わけ》で――。

城内のそこかしこで、ささやきが途絶えることはなかった。出仕したばかりの小四郎はまきぞえをくったのだと思われていた。

小四郎と顔を合わせた太郎兵衛は、騒ぎがおさまるまで会うまいと小声で告げた。小四郎が、目配せでこたえた。

下城のころになると、太郎兵衛の頭のなかである考えが像をむすびつつあった。

まさかとは思う。

しかし、それで謎がぴったりと解きあかせるのだ。

太郎兵衛と小四郎への襲撃で家中の誰が疑われても、疑惑の眼が鮫島兵庫へむけられることはない。跡継ぎの順之介が、同時に襲われ惨殺されているからだ。

では、そのためのみに、兵庫は順之介を殺させたのか。

いやちがうと、太郎兵衛は思う。

順之介を亡き者にすれば、おのが眼の黒いうちに孫の松太郎《まつたろう》を出仕させ、役目に就けることがかなう。

暴風雨での災難にみせかけて脇坂小祐太《わきさかこゆうた》を殺害し、真九郎を出奔《しゅっぽん》せざるをえないようにしむけた。

そのどこかで、順之介の死までもが兵庫の頭のなかにはあった。

信じがたいほどに狡猾《こうかつ》で、冷酷非情である。

そこまで兵庫をおいつめたのは、太郎兵衛と小四郎だ。そして、その策を考えたのが、弟の真九郎《しんくろう》である。

だが、その真九郎でさえ予測しえたのは、太郎兵衛と小四郎とが命を狙われかねないということまでであった。

太郎兵衛は、鮫島兵庫をしんそこ恐ろしく思った。


江戸は、この日も青空であった。

鷹森太郎兵衛が下城の道すがらに沈思していたころ、真九郎は和泉《いずみ》屋まえの通りで刀を構えていた。

さきほど、和泉屋の手代が血相をかえて駆けつけてきた。

手代の顔色を見たとたんに、雪江《ゆきえ》が立ちあがって寝所の襖《ふすま》をあけた。

四名の浪人が店《たな》のまえで刀を抜いて暴れており、天秤棒《てんびんぼう》でたちむかった人足ふたりが斬られてしまったと、早口で告げた。

真九郎は、小脇差を畳におき、立ちあがって雪江から大小をうけとった。

着流しの腰に大小をさし、沓脱石《くつぬぎいし》の草履《ぞうり》をはいて庭から土蔵のあいだをいそいだ。

店の土間で、斬られた人足二名が手当をうけていた。両人とも、腕を浅く斬られただけのようだ。

　真九郎は、和泉屋まえの通りへでた。

　生活《たずき》に窮した浪人たちが、難癖をつけて金子《きんす》をせしめにあらわれたのであろうと思っていた。

　しかし、浪人四名の位置を見たとたんに、そうではないことをさとった。

　和泉屋は間口が二十間（約三六メートル）もあり、横道と脇道とにはさまれている。

　四名の浪人たちは、ひとりが横道との丁《てい》字路のまんなかに、いまひとりが脇道のまえにいた。残りふたりが、そのあいだの河岸にならぶ土蔵ちかくにいる。

　しかも、四人の間隔は等距離で、ほぼ七間（約一二・六メートル）。

　乱暴に刀を振りまわして人足や町家の者たちを追い払っているようにみせかけ、真九郎がどこからきてもわかる位置どりをしている。

　人足たちを威嚇《いかく》しているむぞうさな刀のあつかいにも、かなりの心得が見てとれる。

　両端のふたりが、真九郎に眼をとめ、足早にやってくる。なかのふたりはゆっくりとだ。

　四人とも、いまだ殺気は放っていない。だが、体軀《たいく》にはいくたびも修羅場をくぐった殺伐《さつばつ》さをまといつかせている。

鯉口《こいぐち》を切って右手を柄《つか》にそえ、真九郎はあらためて四人に眼をやった。

左の横道がわは細面で痩身なで肩。土蔵を背にした左が中背で酷薄な狐眼《きつねめ》。右も中背で、右頬から顎《あご》にかけて刀疵がある。右端もおなじくらいの背丈だが、胸板が厚く怒り肩だ。年齢《とし》はいずれも三十代。

刀疵が、唇をゆがめて侮蔑の嗤《わら》いをうかべた。

「用心棒、きさまが相手をするというのか」

真九郎は、低い声で応じた。

「それがしを待っていたのであろう。つまらぬ芝居はやめるがよい」

刀疵が舌打ちした。

「手間どってはめんどう。さっさとかたづけようぞ」

狐眼が首肯《しゅこう》した。

「よかろう」

四人が青眼にとる。

真九郎は、抜刀して青眼にもっていった大和《やまと》を右に返した。自然体《じねんたい》から左足をわずかにひく。

前面のふたりは動かず、左右から詰めてくる。

三間半（約六・三メートル）。

四人がいっせいに殺到。

真九郎も動く。

狐眼へ殺気を放って刀疵へむかい、さらに狐眼へ転じる。

受けんとしたぶんだけ狐眼のほうが遅い。刀疵の面撃ちに大和を横合いから叩《たた》きつけ、返す刀で狐眼の胴を弾《はじ》きあげる。

――キン、キーン。

そのままふたりのあいだを駆けぬける。狐眼が、左手一本で横薙《よこな》ぎにきた。右斜め前方に跳び、宙で反転。

狐眼がくやしげに顔をゆがめ、踵《きびす》を返した刀疵がとびこまんとしている。

真九郎は、足が地面をとらえると同時に大和の切っ先を刀疵に擬《ぎ》し、足早にさがった。

河岸にならぶ土蔵の白壁を背にする。

これで、和泉屋の暖簾《のれん》に刀や血をあびせずともすむ。

四人が青眼にとって慎重な足どりで迫ってくる。

真九郎は、右のなで肩へむかって駆けた。

なで肩が立ちどまり、青眼をひきぎみにする。受けの構えだ。よこから刀疵が突っこんでくる。背後からはふたりだ。

真九郎は、踏みとどまった。

「リャアーッ」

刀疵が逆胴で背を狙ってきた。

白刃が水平に奔《はし》る。

左足を踏みこみ、右手にさげていた大和の切っ先ちかくの棟《むね》を左手の親指と人差し指で挟みつけながら躰《からだ》をひねる。

――ガツッ。

うしろにある左足をなかば腰をおとすように踏みこんで、切っ先をあげて柄をさげる。

そして、右腕一本で横薙ぎにいく。

刀疵が、とびすさってよけた。

右手をひき、柄に左手をそえる。

「オリャーッ」

「キエーッ」

狐眼と怒り肩とが、まっ向上段から斬りこんできた。

右の狐眼の一撃がわずかに速い。

踏みこみ、狐眼の刀身へ大和を横殴りに叩きつける。そのまま右足を起点に躰をひねりながら跳ぶ。

ひるがえった着流しの裾《すそ》が狐眼の腰に触れる。

ふたりが反転するよりも速く、足が地面をとらえた。

振りかぶりながら上体をむけかけた狐眼の左肩から脇へと、大和の切っ先が奔る。

「ぐぇっ」

「きさまぁーッ」

右足をよこに踏みだしながら両腕を額のうえで交差させ、切っ先を左肩下にむける。

面を狙った怒り肩の刀身が鎬《しのぎ》をすべりおちる。

体勢をくずしながらも逃れんとする怒り肩の左脇下に、雷光の弧を描かせた大和の切っ先が消える。

着衣ごと、肋《あばら》と心の臓を裂く。

肉と骨が石榴《ざくろ》の実となる。

怒り肩が、呻《うめ》きさえ発せずに斃《たお》れた。

「おのれッ」

なで肩が憎々しげに言った。

刀疵も顔面を怒りの朱にそめている。

「よくもやりおったな」

ふたりが、ひらきながらさがっていく。

刀をまじえるにはよこたわっているふたりが邪魔だ。怒り肩は血溜《ちだま》りに突っ伏し、狐眼は着衣と地面に血の染みをひろげながらうめいている。

真九郎は、大和に血振りをくれ、土蔵よりまわりこんでふたりのまえにでた。

大和を八相にとる。

なで肩はまっ向上段に振りかぶり、刀疵は脇構えにとった。

いっきに勝負をつける気だ。

自然体に構えたまま、真九郎はふたりのあいだに眼をおいた。ふたりの体軀がふくらんでいく。

殺気がはじけ、ふたりがとびだす。

「キエーッ」

「オリャーァッ」

振りかぶったなで肩のほうが、脇構えの刀疵よりも速い。

右足をなで肩よりに踏みこむと同時に、勢いよく青眼に振った大和を右斜めに撥《は》ねあげる。鎬を摺《す》りあげ、斜めに斬りあげてくる刀疵の斬撃《ざんげき》に大和を叩きつけ、神速《しんそく》の弧を描かせる。

剣風が唸《うな》る。なで肩の胴を、大和が裂いて奔る。

刀疵が、地面すれすれからの逆袈裟《ぎゃくけさ》にきた。

霧月《むげつ》――。

右足を踏みこみ、大和をぶつける。

――キーン。

反転につぐ反転。

刀を振りかぶりながら躰をまわしかけた刀疵を、上段から薪割《まきわ》りに斬りさげる。左腕を両断し、心の臓から腹へと斬り裂く。

真九郎は、血飛沫《ちしぶき》をさけてとびすさった。

右手ににぎった刀の重さにひきずられるように、眼から生気の消えた刀疵がうしろへどさりと斃れた。

大和に血振りをくれ、懐紙《かいし》で刀身をていねいにぬぐう。そして、鞘《さや》におさめてから肩でおおきく息をした。

和泉屋の者も、左右にいる人足や町家の者たちも、凍ったように動かず、しわぶきひとつたてない。

ふり返りかけた真九郎は、横道のほうへ顔をむけた。

政次《まさじ》が、顔面をこわばらせ、小走りにやってくる。

ちかくの桟橋に、逃げるための舟があるはずだ。が、考えてみると、昼間の新川《しん》は、荷舟ばかりか幾多の屋根船や猪牙舟《ちょきぶね》がゆきかっている。どれがその舟か、見分けようがない。

真九郎は、政次を待った。

左右で呪縛《じゅばく》がとけ、ざわめきがひろがる。

「旦那、人足と浪人とが喧嘩《けんか》をはじめたって駆けこんできた者《もん》がおりやしたんで、あっしが菊次《きくじ》にひとっ走りし、亀《かめ》を行かせやした。おっつけ、桜井《さくらい》の旦那がおいでになりやす」

「そうか」

人足たちが和泉屋へもどってきて、町家の者もゆきかいはじめた。とおりすぎながら、いちようによこたわっている浪人たちへ眼をやる。多くが顔をこわばらせ、蒼《あお》ざめている。真九郎にむけられる眼は畏怖にみちていた。

「旦那……」

真九郎は政次を見た。

「なにかな」

「あっしは最後のふたりしか見れやせんでしたが、旦那はほんとうにすげえや」

真九郎は、苦笑をもらした。

「政次、どうやら宗右衛門《そうえもん》は留守のようだ。わたしはここにおるゆえ、雪江に無事だと報せてはもらえぬか」

「承知しやした。あっしも、そのまま見世《みせ》へもどりやす」

「桜井どのを待つので、心配せぬようにつたえてくれ」

「へい」

政次がいそぎ足で脇道のほうへ去った。

やがて、亀吉《かめきち》が息せききって駆けつけてきた。まえで立ちどまると、腰をおって両手を膝につき、肩でぜいぜい息をした。鼻の頭から汗がしたたる。

息をととのえた亀吉が、懐《ふところ》から手拭《てぬぐい》をだして腰をのばした。顔と首筋、胸をふいた手拭を、懐にしまう。

「旦那、まもなく桜井の旦那と親分がおみえになりやす」

真九郎はほほえんだ。

「ご苦労であったな」

亀吉が、人なつっこい笑顔になった。

「どうってことありやせん」

横道のかどに桜井琢馬《たくま》があらわれた。藤二郎のあとに、仙吉《せんきち》、伝助《でんすけ》、勇太《ゆうた》がつづく。

駆けるのをやめた琢馬が、手拭をだした。

顔をふき、柔和《にゅうわ》な表情でやってくる。

「四人《よったり》かい。おめえさんがいるから、でえじょうぶだとは思ったんだがな」

「桜井さん、お話があります」

琢馬が、うなずいて、藤二郎《とうじろう》へ首をめぐらせた。

「自身番から戸板を借りてきて、こいつらをはこんでおきな。そんで、医者を呼びに勇太を走らせ、仙吉たちは見張りに残して、おめえはもどってきな」

「わかりやした」

「亀、おめえは、はこぶのをてつだってから菊次に帰《けえ》りな」

「へい」

藤二郎を先頭に、自身番屋へむかう。

琢馬が顔をもどした。

「で、なんでえ」

「人足たちに喧嘩をしかけ、手疵をおわせたは、わたしをおびきだすためです」

「なんだとッ」

琢馬の眼がするどくなる。

真九郎は、刀疵とのやりとりを語った。

琢馬が顎に手をやった。

「下屋敷からの帰《けえ》りに、やはり四人《よったり》とやったことがあったよな」

「ええ。ちょうど桜のころでした」

「そうだったな。まっ昼間、ここまできやがったってわけか。いってえ、どういうこったい。……まあ、とりあえずはここの始末だ。おめえさんはもういいぜ」

「申しわけございません」

「気にしなさんな」

真九郎は、一揖《いちゆう》して脇道へむかった。

一刻（二時間）ほどのち、宗右衛門がきた。いささか困惑げな表情だ。口をひらくまえに、真九郎はうなずきかけてとなりの客間へうつった。

下座についた宗右衛門は、いつもよりふかぶかと低頭した。

「鷹森さま、お詫《わ》びに参上いたしました」

真九郎は眉根をよせた。

「和泉屋さん、詫びねばならぬはわたしのほうだ」

なおった宗右衛門が首をふった。

「めっそうもございません。ついいましがたもどってまいり、騒ぎのことを知りました。聞きますれば、一番番頭の芳蔵《よしぞう》も二番番頭の佐助《さすけ》も、血を見て動転してしまい、お礼を言上するのを失念したと申しております。どうか、お許しくださいませ」

「そのようなことか。気にせぬようつたえてもらえぬか」

「ありがとうございます」

宗右衛門が低頭した。

なおるまで待って、真九郎は訊《き》いた。

「人足たちの怪我《けが》はどうだ」

「さいわいにもたいした疵ではないそうにございます。ふたりとも、五、六日もすれば、荷がかつげるようになりましょう」

「それでは生活《たずき》にこまるのではないか」

「ご心配くださり、お礼を申します。疵が癒えますまでは、負担にならぬことをやらせますので、どうかご懸念なく。それより、人足たちは、鷹森さまが仕返しをしてくだされたと大喜びだったそうにございます」

「なにゆえあのような騒ぎになったのかは聞いておるか」

「はい。なんでも、斬られた人足ふたりが桟橋へ荷をとるために通りをよこぎっておりましたら、邪魔だと足払いをかけられたそうにございます。あたりにいた人足たちがあつまってきますと、いきなり刀を抜いて斬りつけたとか」

「やはりな。和泉屋さん、かの者どもは、わたしを誘いだすために騒ぎをおこしたのだ」

　宗右衛門の表情を驚きがよぎった。

「では、闇の一味」

　真九郎は首肯した。

「桜井どのにも申しあげたが、まちがいあるまいと、わたしは思うておる」

「それで、得心がまいりました。いえ、過日の涼み舟でもお話がでましたように、このかいわいで不逞《ふてい》な輩《やから》がいやがらせをなすようなことはなくなっております。手前は、またぞろ食いつめ浪人たちが眼をつけたのであろうかと案じておりました。さようでございましたか」

「ただな、解《げ》せぬことがある」

「はい。このようなことは一度もございませんでした。ですから、手前も闇のしわざだとは思いもしませんでした。そのことでございましょうか」

「うむ。あるいは、桜井どのとわたしの気をそらしたがっておるのやもしれぬ」

宗右衛門が眉間に皺《しわ》をつくった。

「どういうことでございましょう」

真九郎は、宗右衛門がくるまでそのことを考えていた。

「和泉屋さんが申しておったように、闇がこのような挙にでたことはない。では、なにゆえか。闇は団野《だんの》道場からの帰りに、くり返しわたしを襲っている。しかし、いずれも霊岸島《れいがんじま》へたっするまえであった。これからは、昼夜、場所にかかわりなく、襲ってくるつもりだということか。桜井どのもわたしも、闇の意図を思案せざるをえない」

「つまり、こういうことでございましょうか。おふたりは、辻斬《つじぎり》の件をお調べになっておられます。ですが、辻斬があったは半月以上もまえ。ここへきて、それが闇にとって不都合になってきたということでしょうか」

「そうかもしれぬ。ほかにもあるのだが、すまぬがそれは話せぬのだ」

「わかりましてございます。鷹森さま、聞きますれば、店さきではなく、河岸の土蔵ちかくでお刀をまじえられたとのこと。お気づかいくださり、あらためてお礼を述べさせていただきます。まことにありがとうございます」

宗右衛門が、畳に手をついて低頭した。

庭ごしに見える東の空から青さが薄れつつあった。

二

翌五日は下屋敷道場である。

帰路、真九郎は大川にめんした柳橋平右衛門町《やなぎばしへいえもんちょう》にある川仙《かわせん》の桟橋に猪牙舟をつけさせた。

川岸の腰掛台にかけていた若いのが、報せに駆けていった。

桟橋から岸にあがって待っていると、甚五郎《じんごろう》が母屋からいそぎ足でやってきた。

「旦那、なんかあったんでござんしょうか」

「ちと気になることがあってな。佃島《つくだじま》にかわったようすはないか」

「わっちはなにも聞いちゃあおりやせんが、すぐにたしかめてお報せいたしやす」

「すまぬがたのむ」

「旦那、教えておくんなせえ。いってえなにがあったんでやしょう」

真九郎は、昨日《さくじつ》のできごとをかいつまんで語った。

「わかりやした。おっしゃっておられたように、用心するよう申しつけてありやすが、いまいちど念をいれやす」

「そうしてくれ。佃島が闇への唯一の糸なのだ」

「かしこまってござんす」

「甚五郎、なにもなければ、わざわざ報せはいらぬ。そのほうにさしつかえがなければ、夕刻にでも徳助《とくすけ》を迎えによこしてくれぬか。雪江と馳走《ちそう》になる」

過日、やはり下屋敷からの帰りに佃島の件をつたえにきただけで、雪江はいまだ同道していない。

甚五郎が笑みをこぼした。

「お待ちしておりやす」

甚五郎が栈橋まで送ってきた。

江戸の空はこの日も晴れている。しかし、いつもより雲が速くながれ、相模《さがみ》の国の稜《りょう》線《せん》も厚い雲に覆われていた。

甚五郎からの報せはなかった。

真九郎は、おのれの杞憂《きゆう》であったことに安堵《あんど》した。

夕方、したくを終えて待っていた雪江とともに徳助が漕《こ》ぐ屋根船で川仙へ行った。

つぎの日、上屋敷からの帰りに、刀袋にいれた大和をもって神田鍛冶町《かんだかじちょう》の美濃《みの》屋へよった。

七左衛門《しちざえもん》が、奥からでてきて膝をおり、小声で言った。

「鷹森さま、よろしければ奥へ。お話ししたきことがございます」

真九郎はうなずいた。

客間で対してほどなく、女中たちが茶をもってきた。

女中たちが辞儀をして去ると、真九郎は刀袋をまえにおいた。

「研《と》ぎをたのむ」

「かしこまりました。お預かりいたします」

腰をおりぎみにしてきた七左衛門が、すわって両手で刀袋を捧げもち、座にもどった。

「鷹森さま、はっきりしてからお報せしようと思っておりましたが、お捜しのおかたらしきご寮人《りょうにん》が駿河台《するがだい》におられるようでございます」

「くわしく教えてもらえぬか」

「はい。先月のすえ、駿河台のさるお屋敷をおたずねいたしました。よもやま話のついでに申しあげましたところ、聞いた憶《おぼ》えがあるとのおおせでした」

昨年の冬、当主が急な病で他界した家がある。なんでも、不幸続きの家で、数年まえに女児が、前年には父母があいついで亡くなった。幼い嫡男をかかえてあとに残された妻女が、たいへんな佳人だと耳にしたことがある。

しかし、それだけで、誰から聞いたかさえさだかでなかった。

七左衛門が想《おも》いだしたら教えてほしいとたのむと、ずいぶんと執心なようだがなにゆえだとたずねられた。

じつはよき刀をたのまれているのだが、なかなかこれはと思う品がみつからない。そのような事情ではさぞかしこまっているであろうから、拝見させていただき、さきさまが気にいりそうな刀があれば、売値をそっくりおわたししてもよい。義理あるおかたの依頼なので、なんとかしてみつけたいとさがしている。

七左衛門は、そうこたえた。

旗本は、心あたりに訊いてみようと請けおった。

真九郎は感心した。

「よくとっさに思いついたものだ」

「いいえ、ほんとうにさがしているのでございます」

「それはすまぬことを申した。事実《まこと》なら、先方も得心するわけだな」

「はい。ですから、わかりしだい使いをいただくことになっております。お殿さまからお聞きしましたら、すぐさまお報せに参上いたします」

「よろしくたのむ」

七左衛門に見送られ、真九郎は美濃屋をあとにした。


翌日は、昼すぎからしだいに薄墨色の雲が江戸の空を覆いだした。陽射しも、南から西に傾きはじめたところで厚い雲に隠れてしまった。

そして八日は、未明からの雨であった。

糸のような雨が、音もなく江戸を濡《ぬ》らした。

朝餉《あさげ》のしたくができるまで、真九郎は庭の雨を見ながら闇の意図について考えた。

和泉屋まえで斬った四人は、けっきょくひとりとして助からなかった。深手のふたりも血を流しすぎていて、医者は晒《さらし》で止血するのが精一杯であった。

八丁堀《はっちょうぼり》の大番屋で桜井琢馬が聞きだすことができたのは、鷹森真九郎を仕留めればひとり五十両、たのんだのはせいぼうと名のった四十すぎの町人、人足を斬るのも青卯《せいぼう》の策であったという。しかも、四、五人くらい殺してもかまわないとのことであった。なぜそうしなかったとの琢馬の問いに、人足を殺しても一文にもならぬ、それにわれらは鬼畜ではない、とこたえている。

美濃屋によった日の夕餉《ゆうげ》のあと、琢馬と成尾半次郎《なるおはんじろう》がたずねてきた。そのときも、闇の狙いについて話しあった。

これまでのやりようを変え、昼間っからおおっぴらにしかけてきた。かならずなにか理由があるはずだ。闇がわけもなく、そのようなことをするはずがない。

琢馬が強調した。

真九郎もそう思う。

考えたことのひとつは、闇が佃島の老婆が見張られているのに勘づいたのではないかということであった。

六助《ろくすけ》の母親は漁師の倅一家と暮らしている。こちらの注意をそらしているあいだに、母親ごと一家をかどわかすか、駆落ち（失踪）させる。

ただ、大勢いる配下の担売りひとりのためにそこまでするかが疑問であった。闇のやりようからすれば、六助をひそかに始末するほうが似つかわしい。

甚五郎がたしかめると、漁師一家の暮らしにはなんのきざしもないとのことであった。

もうひとつが、琢馬が思いついた旗本の後家である。真九郎が池田《いけだ》屋と美濃屋にたのんで後家を捜させているのを闇が知った。

そうかもしれねえと言いながらも、琢馬は首をひねっていた。

真九郎も同感であった。

なにか釈然としない。

しかし、もしそうであったとしても、池田屋と美濃屋を闇が襲うことはあるまいと、真九郎は考えている。後家の依頼で山城《やましろ》屋を始末したと告げるようなものだからだ。

雨は、やんだり霧雨になったりしながら、終日、音をたてずに江戸を濡らしつづけた。

夕餉を終え、ほどなく夜五ツ（八時）になろうとするころ、表の格子戸が開閉した。

「おいらだが、いるかい」

桜井琢馬だ。

真九郎は、いそぎ上り口へ行った。

土間に蛇の目傘と弓張提灯《ゆみはりぢょうちん》をもった琢馬がひとりで立っていた。

「さっきまで奉行所にいたんだ。夜分に申しわけねえんだが、おめえさんと話しあっておきてえことがある」

「わかりました」

真九郎はうめを呼んだ。

居間からでてきた雪江が、厨《くりや》の板戸をあけてなかへはいった。

いそぎ足でやってきたうめに、琢馬が笑顔をむけた。

「すまねえな」

琢馬が、笑いかけて上《あが》り框《かまち》に腰かけた。

真九郎は客間へむかった。琢馬はおだやかな表情をしている。しかし、なにごとか異変が出来《しゅったい》したのだ。さもなくば、このような刻限にたずねてくるはずがなかった。

琢馬が客間にはいってきて、うめが厨へ去った。

「こんなに遅くすまねえ。明日《あす》にしようかとも思ったんだが、二葉《ふたば》屋の一件もあったろう。おめえさんの耳には早めにいれておきたくてな」

「お気づかいは無用に願います。桜井さんこそ、雨のなかをご苦労さまです」

「ここんとこ、晴れの日がつづいたからな。しばらくは雨かもしれねえ」

「十五夜は晴れるとよいのですが」

「そうだな。女子供が名月を楽しみにしてるからな」

「ええ」

雪江とうめが食膳をはこんできた。

真九郎のまえに食膳をおいた雪江が、琢馬に膝をむけて辞儀をした。

「ようこそおいでくださりました」

「夜分にご雑作《ぞうさ》をおかけいたす」

「ご遠慮なく」

雪江が、ふたたび辞儀をし、うめをしたがえてでていった。

諸白《もろはく》は燗《かん》がしてあった。

飲みほし、あらたに注《つ》いだ琢馬が言った。

「おめえさんとこの酒は、ほんとに旨《うめ》えな。おいらなら、毎日《めえにち》酔いつぶれてるかもしれねえ」

「ご冗談を」

「いや、闇の奴らをお縄にしたら、お奉行にお願《ねげ》えして数日お暇をいただき、それこそぐでんぐでんになるまで飲んでやるよ」

「そのおりは、和泉屋に預けてあるだけの薦被《こもかぶ》り（四斗樽《しとだる》）をはこばせます」

「そいつは楽しみだ」

琢馬が笑みをこぼした。

「桜井さん、なにがあったのでしょうか」

琢馬が笑みをぬぐった。

「桔梗屋《ききょう》が身投げした」

真九郎は眉根をよせた。

驚くよりもさきに、疑念がうかんだ。

「身投げでまちがいないのでしょうか」

「そう言うだろうと思ったよ。まあ、聞いてくんな」

昨日《さくじつ》、柳橋まえの下柳原同朋町《しもやなぎわらどうぼうちょう》で煙草《たばこ》問屋の寄合があった。終わったのが、夜五ツ(八時)すぎであった。

夜風で酔いを醒《さ》ましながら帰ると、桔梗屋久兵衛《きゅうべえ》は駕籠《かご》を呼ばなかった。柳橋から鎌《かま》倉《くら》河岸うらの永富町《ながとみちょう》までは半里(約二キロメートル)たらず。五十五歳の久兵衛には、けっしてちかくはない。

問屋仲間は、お元気なことで、と笑顔で見送った。たしかに、この夜の久兵衛は、いつもより酒がすすみ、かつ陽気であった。

久兵衛は、神田川ぞいに行って両国橋西広小路《りょうごくばしにしひろこうじ》にでると、浅草御門をすぎ、大通りを柳原《やなぎわら》土手に眼をやったりしながらのんびりと歩いていた。

御用聞きの手先が、気づかれぬように間隔をおいて尾行していた。

ところが、久兵衛が新《あたら》シ橋で神田川をわたりはじめた。

方角が逆である。手先が首をかしげたとき、欄干《らんかん》をこえた久兵衛が、神田川にとびこんだ。

なんのためらいもない、瞬く間のできごとだった。

手先は全力で走った。橋から川面《かわも》に眼をこらしたが、暗くてなにも見えない。橋をわたった両側は河岸がつづいている。しかし、一艘《そう》の舟もない。

柳原通りを柳橋の船宿まで駆けた手先は、十手《じって》を見せて、新シ橋から商人が身投げしたので捜すように言いつけ、報せに走った。

報せをうけ、定町廻りが柳橋へむかい、臨時廻りが桔梗屋に行った。

臨時廻りは老練だ。

久兵衛の顔を見知っていた御用聞きの手先が、たまたま身投げするのを見ていたことにした。そして、いま、手分けして捜しているともつたえた。

話を聞いた娘夫婦も番頭も、しんそこ愕然としていた。心あたりはなにもないという。隠しごとをしているようすはうかがえなかった。

臨時廻りは、さりげなく絵馬についてもちだしたが、それも久兵衛が吊《つる》したとのことであった。

久兵衛が見つかったのは、今朝になってだ。両国橋から三町（約三二七メートル）ほど下流にある寄洲《よりす》の葦《あし》のところに人が浮いているのに、船頭が気づいた。

「……というわけよ。見張られてるのに気づき、言い逃れできねえと観念したにちげえねえ」

「ええ」

「美濃屋が後家を見つけてくれりゃあ、山城屋とのかかわりもわかる。つまり、桔梗屋が始末をたのんだんは、大黒屋《だいこくや》ということになる」

真九郎は首肯した。

「そうですね、そうなろうかと思います」

「気にいらねえのかい」

「いいえ。あまりのことに驚いているのです」

「お縄になりゃあ、死罪だ。それに、たぶん闕所《けっしょ》（没収）で財産を失い、身内は所払いになる。娘夫婦に商いを残したかったんだろうよ」

「闇が、たとえわたしの名を残さなくとも、絵馬がありますから、桜井さんたちは桔梗屋を疑った」

「ああ、そういうこった」

「二葉屋の件といい、やりきれない気がいたします」

「たしかにな。どいつも根っからの悪党ってわけじゃねえ」

琢馬が膝を叩いた。

「さて、明日《あす》からは、桔梗屋と大黒屋がどこでつながってるか調べねえとなんねえ。残しちまってわるいが、おいらは行くぜ」

琢馬が刀に手をのばした。

真九郎は、上り口まで送っていった。平助が付木《つけぎ》で火をもってきて、琢馬の弓張提灯にともした。

・

翌日も雨だった。

灰色に塗りこめられた大川を、真九郎は老船頭の智造《ともぞう》が漕ぐ屋根船でのぼっていった。

両舷の障子はあけてある。雨のせいばかりでなく、気鬱であった。

覚悟の身投げだったのであろう。

だからこそ、久兵衛は、ふだんよりも飲み、陽気にふるまっていた。死ねば、身代《しんだい》と財産を失うことなく残すことができる。

しかし、どれほどの恨みがあったにしろ、人の命を奪ってよいわけがない。

真九郎は、自嘲した。

おのれにそれを言う資格があるのか。

江戸で、いや六十余州で、おそらくはおのれがもっとも人を殺《あや》めている。闇も多くの命を奪っているが、おのれはみずからの手で斬ったのだ。

真九郎は声にださずにつぶやいた。

――いったい、いつまでつづくのだ。

正気をたもっておられるのは、雪江がいてくれるからだ。

帰りも智造が迎えにきていた。

昼八ツ（二時）の鐘が鳴って小半刻（三十分）ほどすぎたころ、表の格子戸が開閉し、おとないをいれる者があった。

平助が上り口へ行った。池田屋の手代で、主の佐兵衛《さへえ》がたずねたいと言っているのだということ。真九郎は、お待ちしているとつたえさせた。

池田屋も新川にめんした四日市町《よっかいちまち》にある。

ほどなく、佐兵衛がやってきた。

うめが厨へもどったあと、平助が廊下に膝をおった。

「旦那さま、ご案内いたしました」

真九郎はうなずき、客間へ行った。

膝に両手をおいてかるく低頭した佐兵衛がなおった。

「鷹森さま、手前としたことが、気が急《せ》いておりましたので、手ぶらできてしまいました。お許しください」

「そのような気づかいは無用にしてくれ」

「ありがとうございます」

うめが盆で茶をもってきた。

まずは真九郎のまえにおく。

「奥さまが、雨のなかを冷たかったろうから池田屋さんにさしあげるようおっしゃっておりました。旦那さまもどうぞ」

「わたしはついでか」

「はい」

真九郎は笑みをもらした。

うめが笑った。

両頬にえくぼができる。

辞儀をしたうめが、盆をもって立ちあがり、佐兵衛のまえにも茶碗をおいた。

「奥さまに、お心づかいおそれいりますとおつたえください」

「はい」

うめが廊下を去っていった。

うっとうしい天気が、うめの明るさでいくらか晴れやかになった。

佐兵衛がほほえんだ。

「よき娘にございます。あれなら、どこへでも嫁にゆけます」

「わたしもそう思う」

佐兵衛が真顔になった。

「鷹森さま、おじゃまいたしましたのは、おたずねのおかたがわかりましたからにございます」

「見つけたのか。それはかたじけない」

「たいそうなご縹緻《きりょう》だそうでございますから、まちがいあるまいと思います」

神田川の水道《すいどう》橋から一町（約一〇九メートル）ほど上流に三崎稲荷《みさきいなり》がある。川の反対がわには、水戸徳川家の広大な上屋敷がある。

その稲荷にいたる斜めの通りを稲荷小路という。そこに屋敷がある三百五十石の旗本片岡幸之助《かたおかこうのすけ》が、昨年の初冬十月に亡くなった。

妻女の名は藤《ふじ》。三歳になる嫡男がある。

幸之助は小姓組であった。書院番とならぶ番方（武官）の花形である。

当主が他界し、嫡男が幼児であることから小普請組入りとなった。奉公人にも暇をやり、屋敷にいるのは母子と下男下女の四人だけである。

「今朝、わかりましてございます」

「池田屋さん、礼を申す。このとおりだ」

真九郎は、かるく低頭した。

「どうかおなおりくださいませ。もったいのうございます」

顔をあげると、佐兵衛がほっとした表情をうかべた。

「手前はあいにくと他出《たしゅつ》しておりましたが、先日の和泉屋さんでのこと、たいそうな評判にございます。鷹森さまがこちらにおられますので、みな、どれほど心強く思っておりますことか。これで、もう二度とここらあたりに姿をあらわすことはないとぞんじます」

「そうであればよいがな」

佐兵衛は勘違いしている。宗右衛門が話していないということだ。

真九郎は、口端《こうたん》に笑みをうかべ、庭の雨に眼をやった。昨日《さくじつ》とおなじく小雨がふりつづいている。

「十五夜はお天気になるとよいのですが」

真九郎は顔をもどした。

「そうだな。せっかくの月見だ、わたしも楽しみにしておる」

「手前もでございます。では、鷹森さま、失礼させていただきます」

「わざわざすまなかった」

「いいえ。お役にたてて、手前もうれしくぞんじます」

佐兵衛が辞儀をして退室した。

真九郎は、すわったままで見送った。

三崎稲荷は、真九郎も知っている。

ふた月まえ、水戸徳川家上屋敷まえの川岸で、対岸の今治藩松平家上屋敷を見ていた。

稲荷小路は、その上屋敷の裏通りにあたる。

真九郎は、平助を呼んで居間にはいった。

平助が廊下に膝をおった。

「旦那さま、ご用でしょうか」

「うむ。すまぬが、おきくに桜井どのにお会いしたいとつたえてきてくれ」

「かしこまりました」

「それとな、この雨では客もすくなかろうから、雪江の許しをえて、帰りに十世次《とよじ》によりおとよと会ってくるがよい。ほかに用がなければゆっくりしてきてもかまわぬぞ」

「ありがとうございます」

平助が、顔をかがやかせ、ふかぶかと低頭した。

三

十日も雨であった。

これで、三日連続である。だしおしみするかのごとく、しとしとふっている。

真九郎は、下谷《したや》御徒町《おかちまち》の上屋敷から、神田川をこえ、両国橋で大川をわたった。雨のせいで、両国橋の東西広小路とも人影がまばらだった。

雨は、屋台や振売りなどの日銭稼ぎにはつらい。

本所亀沢町《ほんじょかめざわちょう》の団野道場をでたのは、夜五ツ（八時）すぎであった。

竪《たて》川をわたるまでは、水野虎之助《みずのとらのすけ》といっしょだ。

旗本の虎之助とならび歩くときは、真九郎はつねに右がわをとる。この日は、右手で蛇の目傘の柄をにぎっていた。虎之助も右手で傘をさしている。そうやって、たがいに害心なきことをしめす。

横川方面へむかう御家人の小笠原久蔵《おがさわらきゅうぞう》と朝霞新五郎《あさかしんごろう》のふたりと別れ、竪川への通りにはいったところで、虎之助が顔をむけた。

「真九郎、鬱屈《うっくつ》があるとみたが、闇と称する者どもがことか」

「はい。道場からの帰りにたびたび襲われております。この雨で、人通りもまったくありません。今宵もであろうかと思うておりました」

「闇にたのむには大枚がいると聞いた。国もとの老職とやらは、よほどにおぬしが邪魔なようだな」

「水野さま、それが、せいぜいが四名か五名ほどの小人数でしかしかけてまいりません。なにゆえか、解しかねております」

辻番所をすぎて町家の通りに入るまで、虎之助は黙っていた。

「おぬしを挫《くじ》けさせる策やもしれぬな」

「………」

なるほどと、真九郎は思った。

「小人数でくり返しくり返し襲わせる。どれほど気丈な者でもいやになる。心もすさむ。それを待っておるのやもしれぬ。それと、おぬしに手こずっておるを告げれば、国もとの老職に恩義をきせ、のっぴきならぬ立場においこむこともかなう」

「水野さま、どういうことでござりましょうか」

「これだけ知られてしまったのだ、いつまでも江戸にひそんでおることはできまい。四国は遠い。瀬戸内《せとうち》の小島なり、峻険《しゅんけん》な山間《やまあい》なりに隠れ里をつくる。お膝元で騒ぎをおこすからには、それくらいの策は思案しておるのではないかな」

「退路でございますか」

「そう思う。その見通しがついたからこそ、四神《しじん》いらい、おおっぴらにしかけるようになったのではあるまいか。なあ、真九郎、神仏があたえたもうた試練だと思うことだ。おのれに負けるなよ」

「ありがとうござります」

二ツ目之橋にかかる。

「新五郎のことはぞんじておるであろう」

「はい」

朝霞新五郎は、この晩春三月に兄が頸の血脈を脇差で断って自害したために当主となった。

養っていかねばならない家族が、義理の母に、ふたりの妹、後家となった兄嫁にふたりの姪《めい》と甥《おい》の七人もいる。来年には、兄嫁と祝言をあげることも決まっていた。

「人には、それぞれ担って生きていかねばならぬものがある。わたしは、心の荷に軽《けい》重《ちょう》はないと考える」

真九郎は、鼻孔から息をはいた。

「水野さま、おかげさまで気がらくになりました」

虎之助が顔をむけ、ほほえんだ。

「ものごとには、始まりがあればかならず終わりもある。闇の件がかたづいたら、一献《いっこん》かたむけようぞ」

「楽しみにいたしておりまする」

「うむ」

本所林町《はやしちょう》一丁目の四つ辻で、真九郎は虎之助と別れた。

蛇の目傘を風呂敷包みと小田原提灯《おだわらぢょうちん》の柄をにぎっている左手にうつした。ふいをつかれたときのために、右手はあけておかねばならない。

いつもなら、五間堀と六間堀にそって行き、御籾蔵《おもみぐら》よこから大川にでる。真九郎は、御籾蔵をとおりすぎた。

小名木《おなき》川とのかどに紀州《きしゅう》徳川家の拝領屋敷がある。道ぞいに右におれ、河口ちかくで万年《まんねん》橋をわたった。

あとは大川ぞいに永代《えいたい》橋まで行く。

周囲に気をくばりながらも、真九郎は水野虎之助に言われたことを考えていた。

闇との死闘はあるが、それさえのぞけば、むしろ恵まれすぎている。生活《たずき》にこまることもなく、知己《ちき》も多い。師と高弟たち、桜井琢馬、和泉屋宗右衛門、浅草の甚五郎。

真九郎は、きっかけはともあれ宗右衛門の真情を疑ってはいない。しかし、三浦《みうら》屋善《ぜん》兵衛《べえ》をはじめとする霊岸島の商人たちが、娘や内儀を雪江へ弟子入りさせているのには思惑がある。

むろん、雪江のもとへかよわせることによって、書、琴、花、茶を学べる。雪江の挙《きょ》措《そ》から武家の行儀作法をえることもかなう。

しかし、いっぽうで、いざというときに真九郎をたよるためでもある。いわば、打算であり、交誼《こうぎ》を願ってではない。

それでかまわないと、真九郎は思う。

商人たちはそろばんを学び、真九郎は剣を学んだ。刀をふるって敵を屠《ほふ》ることはできても、商いはおろか飯を炊くことさえできない。

いまは町家で暮らしているのであり、おのれの得手《えて》とするものによってたがいに助けあって生きていければ、それでよい。

真九郎は、おのれの弱さを知っている。

人を斬ることに悩み、辰巳《たつみ》芸者の染吉《そめきち》に迷いかけた。苦しくとも眼をそむけず、一歩ずつすすんでいくことでしか道はひらけない。

仙台堀《せんだいぼり》をすぎると、永代橋まえまで深川佐賀町《ふかがわさがちょう》がつづく。ところどころに、腰高障子に灯《あか》りを映している食の見世がある。雨が浮く道に、その灯りがわびしい尾を曳《ひ》いていた。

大川四橋のなかでもっともながい永代橋にかかった。長さが百二十間（約二一六メートル）余で、幅は三間（約五・四メートル）余。雨の闇夜に、真九郎の足駄《あしだ》（高下駄）が音をたてる。

まるみをおびた橋の頂上にさしかかったとき、霊岸島新堀とのかどにある御船手番所のほうから人影があらわれた。ふたり。腰に大小。それぞれ傘をさし、片方が提灯をもっている。

真九郎は、立ちどまって背後を見た。

おなじようなふたりづれが橋をのぼってくる。

和泉屋まえの通りが四日だった。水野虎之助が言っていたように、たえまなく刺客をさしむけることによって心を挫こうとしているのかもしれない。

真九郎は、河口がわの欄干によった。風呂敷包みをおいて小田原提灯をさす。雨に濡れぬように蛇の目傘をかぶせる。

欄干を背にして、左右に眼をくばる。

四人がおなじ歩調ですすんでくる。

懐から手拭をだして額にむすぶ。紐《ひも》で襷《たすき》をかけて、足駄をぬぎ、股立《ももだち》をとる。蛇の目傘をとって雨をふせぐ。わずかなあいだでも、濡れたぶんだけ着衣は重くなる。柄《つか》も、濡らさぬほうがよい。

左右ともに、七間（約一二・六メートル）ほどのところで立ちどまった。

弓張提灯をおいて二本の傘をかぶせる。襷掛けをして股立をとり、草履をぬいだ。

真九郎は、傘をもどして反対の欄干に移動した。

双方の提灯だけが唯一の灯りだ。失えば、闇夜で刀をまじえることになる。

四人が抜刀。

真九郎は、右手を柄にそえ、左手で鯉口を切った。

四人が、刀を右手にさげ、同時に歩きはじめる。

五間（約九メートル）。

鎌倉《かまくら》を抜いて青眼にとり、右に返す。

四人がさらに三歩すすみ、止まった。深川からきた片方が口をひらく。

「鷹森真九郎だな」

「いかにも」

「今宵は闇夜。冥土への旅にはちょうどよい」

「そうはいかぬ」

「ふん。なかなかに遣うそうだが、江戸の道場剣法がどれほどのものか、しかと見せてもらおう」

眼をほそめ、青眼に構えた。

年齢《とし》は四十年輩、痩身細面だ。左が下段にとった刀身を返す。こちらはがっしりとした体格で、将棋の駒のごとき輪郭だ。

箱崎《はこざき》がわのふたりも青眼にとった。左が大柄、右は中背だ。

細面のほかは、いずれも三十代。

四人が摺り足で動く。

真九郎は自然体《じねんたい》のままだ。眼差《まなざし》をややおとしぎみにして正面の欄干にむけているが、見てはいない。敵の気配を感じとる。

四人とも、いまだ殺気を発していない。隙のない足はこびで、じりっ、じりっと迫ってくる。

将棋の駒が欄干よりにひらきながら脇構えにとる。

真九郎は、わずかに左足をひいた。

膨らみかけた将棋の駒の両肩が、もとにもどる。

二間半（約四・五メートル）。

四人が止まった。

真九郎は、微動だにしない。心を無にし、さとられぬように息を吸って、はき、臍下《せいか》丹田《たんでん》に気をためていく。

「オリャアーッ」

裂帛《れっぱく》の気合とともに細面の体軀がはじけ、振りかぶって踏みこんだ。

誘いだ。

欄干がわのふたりが無言でとびこんできた。

切っ先を上段にはねあげ、伸びあがるように突っこんでくる中背のほうが速い。

白刃が雨を斬る。

左足をおおきく踏みこんで上体をひねる。中背の鎬に鎌倉を叩きつけ、右足をひく。

腰のさきを、将棋の駒の切っ先が雨滴を弾いて流れていく。

背後から頭上に剣風。左手の親指と人差し指で鎌倉の棟をはさみ、両手を頭上に突きだす。

——カキッ。

手に衝撃。右よこに刀身を立てる。中背が左胴を薙ぎにきた。左足をおおきくひく。

中背の切っ先が着衣をかすめ、大柄が前方に駆ける。

背に殺気。

まよこに跳び、宙で左回りに躰をひねる。

細面の刀身が、いた場所を縦一文字に斬り裂いている。左足を踏みこんだ細面が、左腕一本で横薙ぎにきた。

足が橋板をとらえると同時に、二歩さがる。

細面が口惜《くちお》しげに顔をしかめ、腰をのばして青眼に構えた。

真九郎は、箱崎よりで河口がわの欄干を斜めうしろにしている。

細面の左右で、残り三名が弓なりになった。深川がわから、将棋の駒、細面、大柄、中背だ。将棋の駒の斜めよこに風呂敷包みと小田原提灯がある。

絹の単衣も袴《はかま》も雨に濡れ、襦袢《じゅばん》にまでしみこんでいる。顎から雨滴がおちていった。

真九郎は、青眼から切っ先をさげて下段にとり、刀身を返した。

四人が摺り足になる。

瞬間、真九郎は柄から左手を離し、箱崎へむかって駆けた。腰をおとしかげんにしていたぶんだけ、四人の反応が遅れる。

中背が、振りかぶって突っこんできた。

右足で橋板を踏みしめ、流れる躰をひねるようにして左足で踏んばり、上体を中背にむける。

「キエエーッ」

眦《まなじり》をけっした中背がとびこんでくる。

上段からの一撃。

右足をひき、左手をそえた鎌倉を奔《はし》らせる。頭があった位置へ落下する斬撃よりも疾《はや》く、鎌倉が中背の脾腹《ひばら》をふかぶかと薙ぐ。

「ぎゃぁーッ」

「おのれぇーッ」

大柄が突きにきた。

鎌倉の鎬で横殴りに弾きあげ、まっすぐに斬りさげる。右肩にくいこんだ鎌倉が、濡れた着衣と肉と骨を裂き、右腕を両断する。

「ぐえっ」

顔面が苦痛にゆがみ、刀がおちる。

大柄が倒れかかってきた。

真九郎は、左よこにおおきく一歩よった。右肩をかすめるように大柄の上体がながれていく。

斜めに血振りをかけ、駆けてくる細面に切っ先をむける。

細面が立ちどまる。将棋の駒がおいついた。ふたりが左右にひらいていく。真九郎も、左に移動した。

橋の中央に立つ。まうしろに、敵の弓張提灯がある。

「こやつ」

正面の細面が言った。

「……よくも、伊藤《いとう》と坂崎《さかざき》を」

細面が上段に構える。面貌《めんぼう》が憤怒《ふんぬ》に燃えている。将棋の駒は、青眼にとったまま左へとうつっている。隙あらば背後へまわりこむ気だ。

真九郎は、八相にもっていった。

将棋の駒が欄干に背をつけるようにしてまよこにきた。

「トリャアーッ」

天をつんざく気合。雨を弾いて細面がとびこんでくる。将棋の駒も動いた。

まっ向上段からの渾身《こんしん》の一撃。

弾きあげた鎌倉に雷光の弧を描かせながら、右足をよこに踏みこむ。得意技の龍尾《りゅうび》。

切っ先が腹を一文字に裂いて奔る。

鎌倉が抜ける。左足をひく。

「なに、ゆえ……」

細面がつっぷすようにくずおれた。

「きさまぁーッ」

将棋の駒が袈裟にきた。

左足をまよこにひらき、左腕を突きあげる。敵の刀身が鎬をすべる。右肩さきをすぎると同時に左足を半歩踏みこみ、強引にひきぬいた鎌倉に神速《しんそく》の円弧を描かせて敵の右脇下を斜めに斬り裂いた。

「ぎえっ」

一歩、二歩とすすんだ将棋の駒が、右肩から倒れた。

残心の構えをといた真九郎は、肩でおおきく息をしてから湿った懐紙で刀身をぬぐって鞘にもどした。

額の手拭は袂《たもと》にいれ、襷もはずす。そのまま深川方向へ行き、弓張提灯の火を吹き消した。

蛇の目傘をさして風呂敷包みと小田原提灯をもち、箱崎がわの提灯の火も消してから、塩町《しおちょう》の菊次へいそいだ。


翌日は秋晴れであった。

三日つづいた雨が大気の埃《ほこり》を洗い流し、江戸の空はどこまでも青く澄みわたっていた。

昨夜は、湯殿（風呂場）で全裸になった真九郎の全身を、雪江がつぎつぎと手拭をとりかえてくまなくふき、躰が温かくなるまで力をいれてこすった。真九郎もあらたな手拭を頭にあてては水気を吸いとった。

脱いだ単衣が二寸（約六センチメートル）ほど斬られていたが、襦袢には達していなかった。

昼八ツ（二時）の鐘が鳴って小半刻（三十分）ほどがたったころ、表の格子戸がけたたましい音をたてた。

日本橋松島町《まつしまちょう》に住む棟梁の女房たねだ。

「奥さまっ、たねです」

瞳をかがやかせた雪江が、廊下でうめを呼んだ。

真九郎は客間にうつった。

ほどなく、たねが廊下に膝をおった。その背中を、うめがとおりすぎた。

「旦那さま、お邪魔します」

真九郎は笑顔でうなずいた。

「みな、堅固にしておるか」

「ありがとうございます。元気は元気なんですが、三日もふられちゃあかなわねえってこぼしてました」

「そうであろうな」

「はい。失礼します」

たねがぺこりと辞儀をして腰をあげた。そして、居間へはいるまえからしゃべりだした。

「奥さま、雨ってほんとうにいやですよね。図体のでかいのが、二匹もごろごろしてるんですよ。おかげで、掃除もできやしません」

雪江が、くすっとこぼした。

――二匹、か。

真九郎は口中でつぶやいて首をふり、押入から書見台をだした。

たいねは、小半刻あまりもしゃべりつづけ、あわただしく帰っていった。

けっきょくは、亭主と倅が三日も家にいた憂さをはらしにきただけのようであった。

しかし、たいねがくると、雪江が若やぐ。たいねの来訪は、だから真九郎にとっても喜ばしいことであった。

それからしばらくして、今度は格子戸が静かに開閉し、寺田平十郎《てらだへいじゅうろう》がおとないをいれた。

神田駿河台に屋敷がある四百五十石の旗本寺田家は、雪江の母静《しず》女の実家である。平十郎は嫡男で、雪江とはいとこにあたる。

立花《たちばな》家下屋敷へ行くまえに文をしたため、平助に朝のうちに届けるよう申しつけておいた。お会いしたいのでご都合をお教え願いたいと書いたのだが、非番であり、中食《ちゅうじき》のあとで他出するので、そのままこちらへよるとのことであった。

平助とうめが上り口へむかった。

真九郎は、雪江に酒肴《しゅこう》のしたくをと言い、客間へ行った。上座ではなく、居間を背にしてすわる。

入室してきた平十郎に、真九郎は正面をすすめた。上座にむかって右手が上席である。

二十四歳の平十郎よりも真九郎のほうが年上だが、相手は旗本である。

真九郎が会いたいと思ったのは、平十郎が小姓組だからだ。

ほどなく、雪江とうめが食膳をはこんできた。桜井琢馬にはおよばないが、平十郎もいける口だ。

雪江とうめが退出するのを待って、真九郎は言った。

「平十郎どの、手酌で申しわけありませんが、どうぞやってください」

「遠慮なくいただきます」

真九郎は、諸白を注ぎ、はんぶんほど飲んだ。

この日は暖かいので、冷やであった。飲みほした平十郎が、おいた杯をあらたに満たした。

顔をあげ、にこりとほほえむ。

「鷹森さま、わたしも以前はたしなむていどでした。おかげさまでご番入してからはつきあいがふえ、このざまです」

「乱れる酒ではなし、よいではありませんか」

「恐縮です」

「平十郎どの、お会いしたかったのは、お訊きしたきことがあるのです。稲荷小路にお屋敷がある小姓組の片岡幸之助というおかたについて、なにかごぞんじでしょうか」

「片岡……。昨年の冬に亡くなった片岡さまのことでは」

「そのとおりです。どのようなご人物だったのでしょうか」

「なにゆえ知りたいのか、あとで理由をお聞かせ願えますか」

「お話しします」

「わかりました。組がちがいますので面識はありませんが、早晩ご出世なさるであろうとの評判でした。突然の高熱を発し、手当のかいもなくそのまま衰弱し、十日あまりでご他界なされたと聞きます。いまだお目見えもすんでいない幼少の嫡男があるだけですが、親戚筋にご大身がおられ、後見するとのことで相続も無事にすませたそうです」

「ご妻女については」

平十郎が、わずかに眉をひそめ、真九郎を見つめた。

「たいそうな美人だとのことです」

「かたじけない」

真九郎は、膝に手をおいて低頭した。

「平十郎どのは、闇と称しておる者どもについてはごぞんじでしょうか」

「噂《うわさ》ていどでしたら」

真九郎は声をおとした。

「他言無用でお聞き願えますか」

「承知いたしました」

真九郎は、鮫島兵庫をぬきにして闇とのかかわりをかいつまんで語り、札差の山城屋の件をくわしく話した。

つとめて表情を隠してはいるが、平十郎が悲憤にかられているのがわかる。弱みにつけこんで貞操を蹂躙《じゅうりん》する。

桜井琢馬に示唆《しさ》されたときは、真九郎も不快であった。

平十郎が、喉をうるおした。

「札差が辻斬に遭ったのは、わたしも聞いています。そのような裏があったのですか」

「町方も調べておりますが、山城屋の札旦那がはたして片岡家であったのか。ご妻女についても、なにか耳にしましたらお教え願えませんか」

「承知いたしました。それとなく訊いてみましょう」

「たのみます」

雪江がすすめ、平十郎は夕餉も食した。

それまでに、二本の銚子をからにした。いささか顔色にはでていたが、平十郎は中西《なかにし》派一刀流を遣う。去っていく足どりが乱れることはなかった。

四

翌々日の夕刻、真九郎は迎えにきた勇太とともに菊次へ行った。

座につくと、すぐにきくが食膳をはこんできた。

桜井琢馬と成尾半次郎と藤二郎とは、すこしまえから飲んでいたようだ。琢馬と藤二郎とはかわらないが、半次郎の顔がわずかに赭《あか》い。

酌をしたきくが見世へ去った。

真九郎は、はんぶんほど残した杯をおいて琢馬を見た。

「桜井さん、団野道場の高弟で水野さまというお旗本がおられるのですが、十日の帰りに、闇の狙いについて、わたしなどが考えもしなかったことをおっしゃっておられました」

真九郎は、虎之助とのやりとりを語った。

琢馬は、顎に手をやって聞いていた。

「一昨昨日《さきおととい》も四人《よったり》だったな。……おめえさんを挫けさせるついでに、江戸から逃げざるをえなくなったときの隠れ里を用意させるか。ありえなくはねえな。奴らしいやりようだぜ」

「ええ、わたしもそのように思います」

「かかわりあってる者《もん》よりも、端《はた》のほうがよく見えることがある」

「たしかに。もうひとつ、お話ししておきたいことがあります」

「なんだい」

真九郎は、寺田平十郎に片岡家についてたのんだことを告げた。

「そいつはすまなかった、山城屋の札旦那であるのはわかってるんだ」

「それではやはり……」

「ああ。その後家でまちげえねえとは思うんだがな。ただ、実家《さと》も三百二十石で裕福ってわけじゃねえ。闇にわたすだけの金子があったかとなると、首をかしげざるをえねえんだ。相手はお旗本で、しかも両番の小姓組だ。お目付へご報告するには、はっきりした証《あかし》がいると、お奉行がおっしゃってる。おめえさんのほうで、なんかつかめればありがてえ」

「わかったことがあれば連絡をいただくことになっておりますから、すぐにお報せします」

うなずいた琢馬の眼が、なごんだ。

「ところでな、桔梗屋が死んじまったんで、いまさら大黒屋の一件を詮議《せんぎ》してもはじまらねえんだが、かかわりがはっきりしねえと、小骨が喉にひっかかってるみてえですっきりしねえ。で、桔梗屋とのからみにしぼって大黒屋を調べさせてみたんだ」

桔梗屋の主久兵衛と大黒屋の亡くなった内儀のゆうとは又従兄妹《またいとこ》であった。久兵衛の母親とゆうの母親とが従姉妹《いとこ》である。母親どうしのあいだでは、いずれふたりを夫婦《めおと》にと言いかわしており、久兵衛もゆうもいつしかそのつもりになっていた。しかし、仲人をたてた大黒屋助左衛門《すけざえもん》が父親を説きふせ、横合いからゆうをかっさらってしまった。

従姉妹どうしの口約束にすぎない。久兵衛の父親はつきあいのある商家の娘を嫁にと思っており、ゆうも父親の意向には逆らえなかった。

吝嗇《けち》な助左衛門は、こまかなことで小言をくりかえし、ときには手をあげることさえあった。

たまにしか実家《さと》へ帰してもらえなかったゆうは、母親のもとで泣いた。

積みかさなったその心労が、ゆうの命を縮めた。

「……と、久兵衛は考《かんげ》えたんじゃねえのかな」

「哀れな話です」

「ああ。おいらも、そうは思う。闇とのつなぎのしかたがわかって、若《わけ》えころの恨みをはらしたくなったんだろうが、だからといって人の命を奪っていいってことにはならねえ」

「ええ」

それからほどなく、真九郎は琢馬や半次郎とともに菊次をあとにした。

仲秋の西空が、朱の濃淡による荘厳な錦絵をあやなしていた。

相模の国にあった厚い雲が、翌十四日には江戸の空を覆いつつあった。

雪江は、ときおり気づかわしげな顔で空を見あげていた。

十五日は、あいにくの曇天であった。朝餉を終えるころから大粒の雨がぱらつきだし、まもなく桶《おけ》をひっくり返したような土砂降りになった。

夕七ツ（四時）の鐘が鳴っても、雨はさながら意地悪でもするかのように屋根瓦を激しく叩きつづけていた。

朝のうちに、宗右衛門がやってきた。傘をさしているにもかかわらず、はじけた雨《あま》飛沫《しぶき》で羽織《はおり》の袖《そで》も単衣の裾もびしょ濡れであった。

宗右衛門があがることなく、雨がやまなくとも舟をだしたいと言うので、真九郎は承知して、使いでもかまわないのに大雨のなかを出向いてくれたのをねぎらった。

七ツ半（五時）になろうとするころ、雪江がしたくをはじめた。

雨のせいで、あたりはすっかり薄暗くなっていた。

ところがそれからほどなく、雨がふいにやんだ。雲が流れ、一日の名残《なごり》を惜しむかのように西陽まで射した。

庭のそこかしこにできている水溜りが、沈みゆくやわらかな陽射しにきらめいた。

客間で書見をはじめたばかりだった真九郎は、廊下にでて、庭と西空に眼をやった。

朝からの篠突《しのつ》く雨は、月夜をまにあわせるための神仏のおぼしめしかとさえ思えた。

暮六ツ（六時）の鐘が鳴りはじめても、雪江のしたくは終わらなかった。

すこしして、和泉屋の手代が、みなさまお揃《そろ》いですと報せにきた。真九郎は、したくができたらすぐにまいるので待っててもらいたいとつたえさせた。

手代が去ってまもなく、居間の障子をあけた雪江が、遅くなったのを詫びた。途中で雨がやんだのでできがえなおしたのだという。

雪江がしたくに手間どるのには慣れている。内心でため息をついた真九郎は、笑顔でうなずいて、いでたちを心から褒め、火をいれた弓張提灯を手にして雪江をうながした。

脇道も水溜りができていた。

ふたりは、裏通りから横道にでて、和泉屋まえの桟橋へ行った。

室内からの灯りが障子を明るく照らしているおおきめの屋根船二艘の艫《とも》がわで、百膳《ももぜん》の法被《はっぴ》をきた男衆が忙しくしていた。

まえが女たちの屋根船、二艘めが男たちだ。浪平《なみひら》の女将《おかみ》が雪江に手をかした。真九郎は、舳《みよし》からのった。

ほんらいであれば男たちののる屋根船がさきに行く。しかし、去年の晩秋九月十三夜の月見で、雪江をかどわかさんとした浪人たちに襲われたことがあった。女たちがのる船をさきに行かせていたからまにあったのだった。

新川から大川にでたところで、艫をのぞいて障子があけられた。

上空は風があるらしく、雲が勢いよく流れている。

百膳の男衆が、食膳をはこびはじめた。

三膳だった。

座がおちついたところで、宗右衛門が声をかけ、手酌で諸白を注いだ。

屋根船がゆったりと大川をのぼっていく。川面には、そこかしこに月見の屋根船や猪牙舟があった。

三味《しゃみ》の音《ね》もながれている。

女たちの舟からどよめきがつたわってきた。

流れる雲の陰から、満月が姿をあらわした。月光をあびた大川の水面《みなも》がきらめく。

舟のなかが、しばし談笑を忘れた。

満月は、ちぎれた薄い白雲や厚い黒雲に隠れた。あるいは、濃淡のある雲もあった。

流れゆく雲とあそぶ仲秋の名月も、またかくべつの趣《おもむき》があった。

大川四橋を背後にしたころには、酒もすすみ、座がにぎやかになった。

相槌《あいづち》をうち、問いかけにこたえながら、真九郎は桔梗屋のことを考えていた。

同座している商人たちも、満足げに談笑し、表情もあかるい。が、どのような屈折《くっせつ》をかかえているかは知りようがない。いずれも真九郎より年上であり、それだけ長く生きてきている。

闇とは、心の迷いや、心底に隠している暗い情念を指すのだ。頭目が闇と名づけた意図がそこにあるように思える。

夜五ツ（八時）の鐘が鳴り、それから半刻（一時間）ほどのち、屋根船が和泉屋まえの桟橋についた。


つぎの日、下谷御徒町の上屋敷からもどってくると、文が二通届いていた。

一通は神田鍛冶町の美濃屋からであった。稲荷小路の片岡家について、すでに判明していることが記されていた。

真九郎は、骨折りへの礼をしたため、平助を使いにやった。

もう一通は、寺田平十郎からであった。

明日《あす》は非番なので、蕎麦《そば》屋に案内したい。ついては、昼九ツ（正午）すぎに柳橋の両国がわで待っている。都合がわるければ使いをよこしてほしいと書かれてあった。

翌十七日も晴れていた。

山谷《さんや》堀に迎えにきた老船頭の智造に、真九郎はいそいで柳橋まで行くようにたのんだ。

柳橋よこの桟橋から川岸にあがると、平十郎が待っていた。

「お待たせしました」

平十郎が、笑みをうかべて首をふった。

「わたしもさきほどきたばかりです。鷹森さま、すこし歩きますがよろしいですか」

「むろんですとも」

「道場へかよっていたころから知っている蕎麦屋です。行きましょうか」

真九郎はうなずき、平十郎の右よこにならんだ。

平十郎は、最初の出会いのころから真九郎にていねいな言葉遣いをする。真九郎が四歳年上で、従妹《いとこ》の良人《おっと》であるからだ。

しかし、父親の八郎左衛門《はちろうざえもん》も健在だが、表向きは平十郎が旗本四百五十石寺田家の当主である。真九郎は、陪臣ですらない。ならび歩くさいは、右がわにしたがうべき立場にある。

平十郎は、柳原土手ぞいの大通りをすすんだ。

両国橋東西広小路と、上野山下《うえのやました》と、浅草寺奥山《せんそうじおくやま》が、江戸の三大盛り場である。

昼九ツすぎの通りは、大勢の老若男女がゆきかっていた。町人ばかりでなく、江戸見物であろう勤番武士の姿も散見される。

柳森《やなぎもり》稲荷をすぎたところで、平十郎が大通りから町家におれた。

暖簾をくぐったのは、小柳町《こやなぎちょう》の裏通りにある二階建て割り長屋だった。蕎麦屋の間口は二間（約三・六メートル）だ。

なかは混んでいた。箸をつかっていた町家の者たちが、いっせいに平十郎を、そしてつづいてはいってきた真九郎を見た。

片襷をした五十年輩の小柄な主が、満面の笑みをたたえて辞儀をした。うしろにいる四十代の小太りの女房も、あふれんばかりの笑顔である。

「若さま、おひさしぶりでございます。使いをありがとうございました。さあ、お二階へどうぞ」

「弥助《やすけ》も元気そうでなによりだ。蕎麦といっしょでいいから、銚子も一本たのむ」

「わかりましてございます」

奥で若い娘がすすぎを用意して待っていた。

階《きざはし》をあがった平十郎が、通りにめんした襖をあけた。そして、窓の障子を片側によせた。

窓から陽射しがそそぐ。平十郎が、みずからの正面をしめして膝をおった。たがいに窓をよこにしている。

「鷹森さま、ごぞんじのように、わたしのところは、無役の小普請入りを命じられる以前は新番筋でした」

真九郎は黙って首肯した。

「小姓組は、書院番とならぶ番方の花形です。それだけに気位が高く、ほかからまぎれこむと、相手にしないのはまだいいほうで、ときには陰湿ないじめに遭《あ》うそうです」

気づかわしげに眉をひそめた真九郎に、平十郎が笑顔で首をふった。

「鷹森さまのおかげで、さいわいにもわたしは若年寄《わかどしより》さまのご推挙でした。縁故があると思ったのでしょう、そのようなめに遭ったことはございません。ですが、それでも、はじめのころはおたずねしても教えてもらえなかったりで、苦労しました」

「お察しします」

真九郎は、かるく一揖した。

「愚痴を申しあげるつもりはないのです」

平十郎がほほえんだ。

「鷹森さまが、薦被《こもかぶ》り（四斗樽）を何樽もとどけてくださるので、わたしのところにくればよい酒が飲めると、同輩たちのあいだで評判です。つまり、親しくしていただけるかたもようやくふえてきました」

階がきしみ、平十郎が口をつぐんだ。

襖があけられ、女房と若草色の前垂《まえだれ》をした娘が食膳をもってきた。平十郎のようすから、真九郎は雇い人であろうと見当をつけた。

女房が平十郎のまえに食膳をおいた。

「若さま、お酒はすぐにもたせます」

平十郎がうなずく。

食膳には、皿に盛った蕎麦と薬味とつゆのはいった小鉢と箸、そして杯があった。

襖をあけたままで階をおりていき、娘が銚子をのせた食膳をもってあがってきて、ふたりのあいだにおいた。

真九郎が平十郎に注ぎ、平十郎が真九郎に注いだ。

「さきに腹ごしらえをしましょう」

平十郎が箸をとった。

腰があって旨い蕎麦であった。そう告げると、平十郎がにっこりとうなずいた。

蕎麦を食して箸をおき、濁酒《だくしゅ》で喉をうるおした。

平十郎が、杯を見つめて言った。

「以前は、このような濁り酒でさえたまにしか飲めませんでした」

杯をおいて顔をあげる。

「人とは哀しいものですね」

真九郎は訊いた。

「どういうことでしょうか」

「小普請組であろうが小姓組であろうが、わたしはわたしです。ご番入しただけであって、わたし自身が変わったわけではありません。しかし、かつての友とは疎遠になり、父と親しくしていただいていたかたがたも、たまにたずねてこられると、すべてわたしの縁談についてだそうです。父は、まだ早いと断っておりますが、両番筋から妻を迎えたいのです。そうやって縁戚をつくり、家格を両番筋にしたいと願っているのです。父の気持ちも、わからなくはありません」

こたえようがないので、真九郎は黙っていた。

「申しわけございません、このような話をするはずではありませんでした。先日、昵懇《じっこん》にしていただいてるかたがたをお招きして、酒肴《しゅこう》をふるまいました。そのおり、片岡家のことをもちだしてみますと、いろいろなことがわかりました。噂のたぐいもふくまれますので、そのつもりで聞いてください」

片岡家の先代は、書院番組頭千二百石の牧野《まきの》家から三男が婿養子ではいってきた。幸之助の妻女藤《ふじ》との縁をとりもったのも、牧野家の当主であった。藤の実家である三百二十石の高木《たかぎ》家は、牧野の組下だ。

当然、片岡家の後見をしているのも牧野である。

片岡家も内証《ないしょう》が苦しかったところへ、幸之助の医者代のためにさらに山城屋へ借金せざるをえなかった。

幸之助が亡くなったあとも、山城屋が片岡の屋敷へ出入りするのを見た者がいる。むろん、片岡家は山城屋の札旦那であるから、店の者が出入りしてもおかしくはない。しかし、なにゆえ主がみずからわざわざ出向くのだ。

山城屋への借金が、すべて帳消しになったらしいとの噂がある。

「……酔ってはおりましたが、どなたも邪推を口にするほど不躾《ぶしつけ》ではありません。しかし、天罰だとひとりが申しますと、山城屋を斬ったのが小姓組の者なら、よくやったと褒めてやりたいと申す者もおりました。事情を知らなければ、わたしもおなじ思いでしたでしょう」

「平十郎どの、いやな思いをさせ、申しわけございませんでした」

真九郎は、頭をさげた。

平十郎がちいさく吐息をついた。

「家名のため、子のため、こらえたのでしょうね。そこまで堪え忍ばなければならない。わかるつもりですが、哀れすぎます」

杯に手をのばした平十郎が、濁酒を呷《あお》った。

もう一本銚子とたくあんをたのみ、ふたりは昼八ツ（二時）の鐘が鳴るまで二階の小座敷にいた。

真九郎が霊岸島へ帰りついたころ、太郎兵衛は蒼社《そうじゃ》川の土手を上流へむかって馬を駆《か》っていた。

いそがねばならぬわけではない。が、風を切ることでたぎる血を鎮《しず》めたかったのだ。

小四郎と会うのは、三日に刺客たちと刀をまじえていらいである。むろん、城中では顔を見かけるし、十日には小夜《さよ》との祝言もあった。

かつての戸田小四郎は、いまや脇坂小四郎である。

祝言をあげたばかりの者と血なまぐさい話をするのもどうかとひかえているうちに、昨夜の事態が出来《しゅったい》してしまった。

今朝の城内は、四日の朝とは比較にならぬほどに騒然としていた。小四郎を呼びだし、蒼社川上流の社《やしろ》で会おうと約したのだった。

あまりに異様なできごとに誰もが浮き足立っており、ふたりに注意をはらう者などいなかった。

前方に見えていた杜《もり》が、だいぶちかづいてきた。

太郎兵衛は、ゆっくりと手綱をひいていった。

下馬した太郎兵衛は、鳥居をくぐり、ちかくの枝に手綱をむすんだ。小四郎はまだであった。太郎兵衛は、土手にもどり、河原へおりていった。

冷たい清流で顔を洗い、手拭をだしてふき、ついでに濡らしてしぼり、首筋と胸をぬぐった。

川風とせせらぎが、昂《たか》ぶった気持ちをなだめてくれるかのようであった。

太郎兵衛は、鞘ごと刀をはずし、河原の岩に腰かけた。そして、鍔《つば》を岩にもたせかけた。濡れた手拭を岩のうえにひろげる。

清らかに流れる川と、青い空と白い雲。木々の緑に田畑。川の音のほかはなにも聞こえず、まるでなにごともなかったかのごとく静かだ。

「まさか、このようなことになろうとは」

太郎兵衛は、声にだしてつぶやいた。

神仏ならぬ身で、すべてを見とおすことはできない。それにしても、あまりにも悲惨すぎる。しかも、こうなった一端の責めはおのれにあるのだ。

胸中で、苦い悔恨《かいこん》がよどんでいた。

太郎兵衛は、江戸の真九郎を想った。

真九郎とて、かくのごとき結末は望まなかったはずだ。みずからを責めるであろうことがわかるだけに、できうれば真九郎には報せたくないと、太郎兵衛は思った。

だが、いずれは耳にはいる。であるなら、その役目は兄であるおのれが担わなければならない。

太郎兵衛は、胸腔いっぱいに息を吸い、ゆっくりとはきだした。

遠くで蹄《ひづめ》の音が聞こえた。

太郎兵衛は、耳を澄ませた。

一騎だ。

ふり返らなかった。蹄の音がしだいにおおきくなっていく。やがて、馬が並足になった。

太郎兵衛は、首をめぐらして小四郎におおきくうなずき、また川面に眼をやった。

ほどなく、小四郎がやってきた。

太郎兵衛は、ちかくの岩をしめした。

「おぬしも、そこにすわってくれ」

小四郎が、やはり刀をはずして川面に躰をむけた姿勢で腰をおろした。

社には馬がつないである。野駆けにきたふたりが、河原で休憩しているようにしか見えないはずだ。家中の者がいぶかしんでも、あまりのできごとゆえ、小四郎を誘って野駆けをし、気を鎮めていたのだと言いわけがかなう。

さらに、土手からおりてこぬかぎり、ここでの声が聞かれる気づかいもない。

川の流れに眼をむけたまま、太郎兵衛は言った。

「小四郎、これが祝言のまえであったらと思う。なにも聞いてはおらぬであろうな」

「はい、申しわけございませぬ。わたしは脇坂の者です。このようなおりですから、戸田の家に行きましても、なにしにきたと叱られるだけです」

「戸田さまは、けじめにうるさいからな」

小四郎が苦笑をこぼした。

「おっしゃるとおりです」

「すまぬ。忘れてくれ。まずは、わたしが知ってることを話そう。ほかになにかあれば教えてもらいたい。昨夜《ゆうべ》遅く、松太郎どのがご家老を斬り、みずからも切腹して果てた。突然の乱心だそうだ」

「わたくしが耳にしたのも、それだけです」

「信じられるか」

「戸田の父は、将来《さき》が楽しみだと申しておりました」

「わたしも似たような評判を聞いたことがある。松太郎どのは、たしか……」

太郎兵衛は、記憶をさぐった。

小四郎がこたえた。

「十八になります」

ふたりは、しばらく黙って川を見ていた。

太郎兵衛は、重い口をひらいた。

「わたしは、あの日のことを考えた。おぬしとわたしが襲われ、順之介さまもまた襲撃に遭い、斬られた。家中の誰が疑われても、ご家老を疑う者はおるまい」

「鷹森さま、わたくしもおなじことを考えておりました。それを、松太郎どのが知ってしまったのではないかと」

「親の敵《かたき》を討つは子の定めだ。こともあろうに、祖父が父の敵。これほどの悲惨があろうか」

「なにがあったかぞんじているであろう者が、ひとりだけおります」

「井坂権之助《いさかごんのすけ》であろう」

「はい」

「われらが口出しするわけにはいかぬ。戸田さまにおまかせするしかない。おぬしをまきこんだのは、わたしだ。なにかのおりの責めは……」

小四郎が、するどい声でさえぎった。

「鷹森さま。わたくしも、やらねばならぬと思ったからこそやったのです。覚悟はできております」

「浅慮であった。許してくれ」

小四郎とおのれが腹を切るようなことになれば、真九郎も生きてはいまい。

太郎兵衛は、川から林、そして空へと眼をやった。

第五章　憂愁の雨

一

寺田平十郎《てらだへいじゅうろう》と別れて帰ってきた真九郎《しんくろう》は、きがえをてつだう雪江《ゆきえ》に、こぎれいな見世《みせ》だとはいいがたいが、蕎麦《そば》はたいそう美味であったからそのうち食しに行こうと誘った。

雪江が、楽しみにしておりますとほほえんだ。

内面はうかがいしれない。だが、表面は以前の雪江がもどってきたように、真九郎には思えた。

いや、そう思いたいのかもしれない。たとえ気の迷いだけでとどまったとしても、相手の心には翳《かげ》りをのこす。染吉《そめきち》とのことでえた教訓だ。

真九郎は、銚子のはんぶんほどしか飲まなかった。その酒も、帰路で醒《さ》めている。雪江に茶をたのんで文机《ふづくえ》にむかい、桜井《さくらい》琢馬《たくま》へ、菊次《きくじ》でお会いしたいと文をしたためて平《へい》助《すけ》を使いにやった。雪江には平十郎の話を聞かせたくなかった。

夕七ツ半（五時）がすぎたじぶんに、勇太《ゆうた》が迎えにきた。

ちかづく日暮れに影がながくなった道を塩町《しおちょう》の裏通りにおれると、むこうから琢馬たちがやってきた。

勇太が菊次の暖簾《のれん》をわけてなかへ消え、真九郎は路地まえで待った。

顎《あご》をひいた琢馬と成尾《なるお》半次郎《はんじろう》が路地におれた。真九郎はついていった。藤二郎《とうじろう》がつづく。

まつ、婆《ばあ》やと矢吉《やきち》が居間からでてきて、二階にあがっていった。だいぶ慣れてきたようで、矢吉の表情があかるい。

かわっておりてきた若い子分たちがすすぎを用意した。

真九郎は、さきにあがっていつもの座についた。

琢馬たちが座についてほどなく、きくと女中ふたりが食膳をはこんできた。きくが酌をしているあいだに、女中のひとりが藤二郎のぶんももってきた。

杯を手にしたままあらたに注《つ》いだ諸白《もろはく》も旨《うま》そうに飲みほした琢馬が、杯をおいて三杯

だい」
「今日はいい陽気だったな。酒が五臓六腑《ごぞうろっぷ》にしみわたるようだぜ。で、話ってのはなん
めを満たした。

真九郎は、寺田平十郎について説明し、聞いたことを語った。
琢馬は眉をひそめぎみにして耳をかたむけていた。
「おめえさんのご妻女の母親は、お旗本のご息女だったもんな。そうかい、そんな噂《うわさ》が
あるのかい。遠慮して周辺をさぐらせてるそうだが、こいつはお願《ねげ》えして山城《やましろ》屋の番頭
なりをゆさぶってみるしかねえな」
眼を畳におとしてつぶやくように言っていた琢馬が、顔をあげた。
「あとでお奉行にお話ししてみる。ところで、大黒《だいこく》屋についてあらたにわかったことが
ある」
藤二郎の手先が、亡くなった大黒屋の内儀ゆうの実家でかつて奉公していた女中を見
つけてきた。
大黒屋との縁談が決まったゆうは、毎日泣き暮らしていたという。ゆうは好んで嫁に
いくのではないと言付けをたのんでいたし、そうでなくとも母親の口から久兵衛《きゅうべえ》はつた
え聞いていたはずとのことであった。

おかしなものなんですよ、と女中はなつかしげな顔になった。

久兵衛との縁組について母親どうしが話しても、ゆうは気のないそぶりをしていた。たまに、母親の使いで久兵衛がきても会おうともしない。母にうながされてしぶしぶといった態度で挨拶をすると、すぐにひっこんでしまう。

琢馬が言った。

「いじらしいじゃねえか。夫婦《めおと》となる相手だと思うと、恥ずかしさのほうがさきになっちまう。で、そいつをさとられまいと、かえってつんけんする。久兵衛のとこへ嫁に行くんだって信じきってたんだな」

言葉をきった琢馬が、いぶかしげに首をかしげた。

「どうしたい。なんか気にかかることがあるんなら、遠慮しねえでくれ」

真九郎は、考えながらこたえた。

「わたしの思いこみがすぎるのかもしれません」

「いいから、話してくんねえか」

「わかりました。桔梗《ききょう》屋は絵馬をだしていました。つまりは、桔梗屋のほうから闇につなぎをつけたということです」

「そのとおりだが、そいつがどうかしたのかい」

「ゆうが生きていて、いまでも辛《つら》い日々をおくっているというのであれば、わからなくもありません。しかし、亡くなってずいぶんとたちます。ふと、身代《しんだい》とみずからの命までも賭けるだろうかと思ったのです」

琢馬が、眼をおとして顎に手をやった。

半次郎と藤二郎も、琢馬へ顔をむける。

顎から手を離した琢馬が、杯に残っていた諸白を飲み、注いだ。

「桔梗屋の一件は、闇が焚《た》きつけたわけじゃねえ。たしかにそのとおりよ。だから、おめえさんの言ってるのもわからなくはねえ。しかしな、奉公してた女中の話で、ゆうが本気で久兵衛に惚《ほ》れてたのがわかった。久兵衛のほうも、そうだったんじゃねえのか。母親の使いでゆうに会いに行ってる。いやじゃなかったからだ。ゆうの面影を胸んなかにしまって生きていたとしたらどうだい」

「商いは婿がいる。だから、最初からあの世でゆうと添いとげる覚悟だった」

「ああ、そのとおりよ」

「男女《なんにょ》の機微《きび》に疎《うと》いので、よけいなことを言ってしまいました。申しわけございません」

「あやまることはねえよ。おめえさんはもういいぜ。おいらたちは、腹ごしらえをしてから御番所だ」

「失礼します」

真九郎は、琢馬と半次郎に一揖《いちゆう》して刀をとった。

たしかに琢馬が言うとおりなのであろうとは思う。

おのれが考えすぎなのだ。そう言い聞かせてみても、灰をかけた埋《うず》み火のようになにかが消えずにくすぶっている。

この日の夕焼けは、燃えるかのごとき紅《くれない》色であった。いまにも沈まんとする夕陽が、屋根と通りをあかくそめていた。


翌々日の十九日。

夕餉《ゆうげ》をすませてくつろいでいた暮六ツ半（七時）ごろ、勇太が迎えにきた。

客間には、桜井琢馬と藤二郎だけがいた。

真九郎が問うまえに、琢馬がこたえた。

「半次郎の親父《おやじ》どのが、昨日《きのう》から寝こんでる。風邪らしい。熱もてえしたことねえそうだが、親孝行ってのはできるうちにやっとくもんだ。で、見まわりのあとで帰《けえ》した」

琢馬は、十八歳のときに唐突な病で父親を喪《うしな》っている。

食膳をおいたきくが、銚子をもってにこっとほほえんだ。

「馳走《ちそう》になる」

真九郎は杯をとった。

きくがこころえていて、真九郎の銚子はいつもはんぶんほどしかはいっていない。

銚子をおいたきくが腰をあげるそぶりをみせずに待っている。真九郎は、諸白をわずかにふくんで杯を食膳にもどし、きくを見た。

「雪江さまに、明日《あす》、お待ちしておりますとおつたえしてくださいね」

きくが、上体を琢馬にむけた。

「桜井の旦那も、お願いします」

「そうか、明日《あす》は二十日か。おれん家《ち》のならでえじょうぶだ。おいらの飯を忘れることはあっても、二十日の菊次は忘れるわけがねえ」

「あら、そんなことおっしゃっていいんですか。奥さまに言いつけ……」

藤二郎がするどくさえぎった。

「きく、てえげえにしな。……桜井の旦那、申しわけございやせん」

琢馬に膝をむけたきくが、首をかしげながら頭《こうべ》をたれた。

「桜井の旦那、言いすぎました。堪忍しておくんなさいまし」

「なあに、おきくはそれがあるからおきくよ。気にすんねえ。あいつも、七五郎《しちごろう》の料理を楽しみにしてる。旨いのを食わしてやってくんな」

「あい」

ようやく笑顔にもどったきくが、辞儀をしてでていった。

琢馬が、きくのうしろ姿から顔をもどした。

「きてもらったんは、こういった話はおめえさんとこだとしにくいからよ。臨時廻りどのが山城屋に行き、番頭から話を聞いた」

昨日《さくじつ》のことだ。

臨時廻りと定町廻りが、浅草御蔵前《あさくさおくらまえ》の山城屋にでむいた。しかし、番頭は帳面を見せるのをやわらかく拒絶した。理由は、店《たな》の信用にかかわるし、札旦那のみなさまがたもけっしていい顔はしないであろうからだ。

山城屋殺害は町方の扱いだが、嫌疑が旗本や御家人におよぶとなると目付の領分になる。

臨時廻りは、稲荷小路《いなりこうじ》に屋敷がある片岡《かたおか》家の借金を棒引きにしたとの噂を耳にしたがまことかと質《ただ》した。

番頭は、あっさりと認めた。

当主が亡くなり、ご寮人《りょうにん》と三歳の嫡男のみが残されてしまった。それで、借金の催促をしては人でなしになってしまうし、世間体もわるい。

主がそのように申しあげ、末長くおつきあいを願うということで、これまでの借金は帳消しにした。

——すべてというのはさすがにめずらしいのですが、急病《きゅうやまい》でお亡くなりになったお気の毒なご事情です。どこの誰某《だれそれ》とは申しあげられませんが、元金だけにして利息を帳消しにしたのは、これまでもないわけではございません。

「……というわけよ。借金のかたにお旗本の後家をてごめにしたとあっちゃあ、主が殺されていようが、山城屋が無事ですむわけがねえ。さすがに札差の番頭よ、お気の毒だからの一点張りで、嘘《うそ》だと思うなら、どうぞご寮人さまにたしかめてくれってぬかしやがったそうだ。ふざけてやがるぜ。はい、てごめにされましたって、お旗本のご妻女が認めるわけがねえじゃねえか」

「土佐守《とさのかみ》さまはなんと」

「山城屋が誰かに自慢してねえか。遊女あたりに、寝物語でもらしてるかもしれねえ。手間どってもかまわねえから仔細《しさい》を根気よく調べるようにおっしゃってた」

真九郎はつぶやいた。

「一罰百戒《いちばつひゃっかい》」

藤二郎が怪訝《けげん》な表情をうかべた。

琢馬が柔和《にゅうわ》な顔をむけた。

「明日《あす》、見まわりのときに教《おせ》えるよ。おいらが忘れてるようなら、想《おも》いださせてくんな」

「へい、ありがとうございやす」

琢馬が顔をもどした。

「たしかにそうかもしれねえがな、後家はどうなる。生きちゃおれねえぜ。今度ばかりは、お奉行がなにをお考《かんげ》えなさってるのか、おいらにも読めねえ」

沈黙がおち、湿った酒になった。

しかし、いつまでもひきずらないのが、桜井琢馬である。いきおいよく諸白をあおって杯をおいた。

「お奉行のことだ、なんかご思案があってのことにちげえねえ。藤二郎」

「へい」

「おいらたちは、山城屋がきてた料理茶屋の者《もん》や、ねんごろにしてた芸者をあたる」

「わかりやした」

それからしばらくして、真九郎は琢馬と菊次をあとにした。弓張提灯《ゆみはりぢょうちん》をもった勇太が一歩斜めまえを行く。

裏通りから新川《しん》にむかったところで、琢馬が訊《き》いた。

「おめえさん、おきくのやつ、変わったと思わねえかい」

「おきくがですか。申しわけありませんが、わたしはなにも気づきませんでした」

「てめえの腹を痛めなくても、子ができると女ってのは母親になるようだ。今度気をつけてみな、芸者のころからの色っぽさがなくなった」

「そういえば、たしかに……」

きくはみょうに艶《つや》っぽい眼で見つめることがある。真九郎はその眼差《まなざし》が苦手だが、このところきくから逃げたくなったことがない。

「母親ってもんは、子のためとあらば、火のなかへでもとびこむ」

琢馬が吐息をついた。

「そいつをあばかなけりゃあならねえ。お役目とはいえ、いやなもんだぜ」

真九郎はこたえなかった。

ふたりは黙って歩いた。

十世次《とよじ》からの灯《あか》りが、横道と和泉《いずみ》屋裏通りとにひろい帯をひろげている。客のにぎわいもつたわってきた。

ほどなく家のまえについた。

琢馬が躰《からだ》をむけた。

「明日《あす》は、団野《だんの》道場へ行く日だ。気をつけてくんな」

「ありがとうございます」

「なんかわかったら報《しら》せるよ。じゃあな」

琢馬が脇道に消えるまで、真九郎は見送った。八丁堀《はっちょうぼり》へ帰るときは二ノ橋のところで別れる。それが、家までついてきた。琢馬も、やりきれない気分なのであろう。

格子戸をあける。

「ただいまもどった」

雪江がきた。

「おかえりなさりませ」

「うむ」

真九郎が寝所の刀掛けに大小をおいているあいだに、雪江が着替えを用意した。きがえるのをてつだってもらいながら、ふと壁の薙刀《なぎなた》へ眼がいった。

雪江は、もしものおりは自害する覚悟ができていると言ったことがあった。母親の静《しず》女は、旗本の息女だ。その母親によって、雪江は躾《しつけ》られた。辱《はずかし》めをうけるくらいなら自害する。

つまりは、それが武家の妻の心得なのだ。

幼い子をかかえた母親であり、武家の妻女でもある。妻としての覚悟……。

「あなた、どうかなさいましたか。ずいぶんと強《こわ》い顔をなさっておられます」

まえにまわった雪江が、小首をかしげて見つめている。

「いや。ふと思いついたことがあるのだ。すまぬが、すこしでよいから酒のしたくをたのむ」

「はい、すぐに」

真九郎は、雪江のあとから居間をでて、廊下に膝をおった。

小田切《おだぎり》土佐守は、なにゆえにさらなる探索を命じたのか。おなじことが気になったからだ。

では、桜井琢馬が納得した理由《わけ》は――。町方だからだ。町家の暮らしと考えかたに慣れすぎている。

寺田平十郎も得心していたが、いまだ独り身である。女性《にょしょう》については真九郎よりも疎《うと》いはずだ。

まさかとは思う。だが、しかし……。

厨《くりや》から雪江が食膳をもってでてきた。

酒のほかに、小鉢にたくあんがあった。

真九郎は杯をもった。雪江が注ぐ。飲みほし、杯をさしだした。

「雪江もどうだ」

「でも、わたくしは、ほんのすこしで顔が赭《あか》くなってしまいます」

居間からの灯りのなかで、雪江が眼をふせ、ぽっと頰をそめた。真九郎は、盂蘭盆会《うらぼんえ》の宵を想いだした。あのおりも、ふたりで酒をたしなんだ。

「よいではないか。わたししかいない」

「それでしたら、いただきます」

真九郎は、銚子をとって雪江がもつ杯に注いだ。

蒼《あお》い夜空で星がまたたき、涼しい夜風がとおりすぎていった。

団野道場をでてふたりだけになってほどなく、水野虎之助《みずのとらのすけ》が訊いた。

「真九郎、十日はどうであった」

「四名に襲われました。わたしも、いまでは水野さまがおっしゃったとおりではないかと思うております」

「となると、今宵もと思わねばならぬな」

「闇の刺客《しかく》がつきておらねば、そうなるかと」

二ツ目之橋ちかくまで、虎之助は黙っていた。

「真九郎、このようにつづいては、おぬしもうんざりであろう。わたしでよければ、ついていくぞ」

「水野さま、お気づかいいただき、ありがとうございます。ですが、ご身分がございます。わたしが闇に狙われておるは町方もぞんじておりますが、水野さまが刀をまじえますとお目付がでてまいります」

「身分か」

「お気持ちだけでじゅうぶんでございます」

虎之助が顔をむけてほほえんだ。

「おぬしが後《おく》れをとると思うておるのではない。わたしが案じておるのは、おぬしのやさしさだ」

「水野さま、かの者どもを滅ぼすか、わたしが斃《たお》されるかです。ほかに道はありません」

「真九郎、安堵《あんど》したぞ」

「おそれいります」

虎之助と別れた真九郎は、新大橋へむかった。

どの道をとろうが襲ってくる。ならば、巻き添えをつくらぬためにも町家はさけるべきだ。

仲秋八月も、もはや下旬。日に日に秋がふかまってきている。新大橋よこにならぶ屋台には、町家の者たちがいた。娘たちもまじっている。濁酒《だくしゅ》や甘酒を飲み、田楽《でんがく》に舌鼓を打ち、かけ蕎麦をすすっている。

のどかな光景だ。日本橋長谷川町《はせがわちょう》の裏長屋でなにごともなく暮らしていたころがなつかしい。

真九郎は、笑みを消し、川岸から正面の新大橋へ顔をむけた。

長さは百十六間（約二〇九メートル）。永代橋《えいたい》よりわずかに四間（約七・二メートル）ほど短いだけだ。

新大橋をわたると、箱崎《はこざき》まで武家地がつづく。

夜は、ほとんど人に会うことがない。浜町《はまちょう》川の川口《かわぐち》橋と箱崎川の汐留《しおどめ》橋のてまえに辻《つじ》番所があるだけだ。

真九郎は、汐留橋まで行かずに、永久橋《えいきゅう》から三角島の箱崎へと帰路をとるつもりでいた。

川口橋のうえで、三町（約三二七メートル）ほどさきにある永久橋てまえの桟橋によこづけされた屋根船の灯が望めた。

やはり、今宵も待ちうけている。水野虎之助には心配をかけぬためにあのように言ったが、刀をまじえるのも、ましてや人を斬るのはうんざりであった。

真九郎は、挫《くじ》けそうになる気力をふるいたたせた。

「雪江を独りにするわけにはゆかぬ」

声にだして言い、ふかく息を吸って、はく。

永久橋まで一町（約一〇九メートル）たらずのところにある入堀《いりぼり》の橋をわたる。

屋根船の座敷には灯りがない。舳《みよし》の柱に掛行灯《かけあんどん》があるだけだ。

その舳がわが明るくなった。

提灯をもった浪人が、縁《へり》から桟橋におりた。つづいてひとり。さらにひとり。今宵は三人だ。

三人とも襷掛《たすきが》けをして、袴《はかま》も脚絆《きゃはん》でしぼっている。

真九郎は、大名屋敷の塀によって風呂敷包みをおき、小田原提灯《おだわらぢょうちん》をさした。紐《ひも》で襷をかけ、股立《ももだち》をとる。

頭上は、樹木の枝が黒々と夜空を覆っている。

この日は、鬼塚吉国《おにづかよしくに》の筑後《ちくご》を腰にしてきた。道のまんなかにでて、左手を鯉口《こいぐち》にあてる。

やってきた三人が七間（約一二・六メートル）ほどのところで立ちどまる。

まんなかの瘦身なで肩が、足もとに無印の弓張提灯をおいた。左は肩幅のある短軀《たんく》、右は中肉中背だ。

三人が刀を抜く。

鯉口を切って筑後を抜くなり、真九郎は走った。敵の白刃を眼にしたとたんに、怒りにとらわれた。人を生殺しにするかのごとくもてあそぶ闇への憤激《ふんげき》だ。

三人が駆けだす。

たちまち彼我《ひが》の間隔がなくなっていく。

三間（約五・四メートル）。

真九郎は、正面のなで肩から左の短軀に転じた。なで肩が立ちどまり、中肉中背は全力疾走にうつる。かこむ気だ。

「キエーッ」

柄《つか》に左手をそえた肩幅短軀が、踏みこんで下方からの袈裟《けさ》にきた。

切っ先が下腹に迫りくる敵の白刃に筑後を叩《たた》きつけ、跳ぶ。上体をひねった勢いのままに宙で一回転。

「オリャアーッ」

なで肩が、まっ向上段から面を割りにくる。

両足が地面をとらえると同時に敵の一撃を摺《す》りあげ、小手《こて》にいく。なで肩が両腕をひらき、とびすさってよける。

背後から剣風。

右足を左足のうしろにすばやくひき、肩幅短軀の面にくる鎬《しのぎ》に筑後をぶつけ、返す刀でおなじく上段からの一撃をみまわんとしてる中肉中背の白刃を横殴りに撃つ。

つぎの瞬間、真九郎は背後におおきく跳んだ。

左肩があったあたりの大気を、なで肩の白刃が斬り裂いた。

真九郎は、さらに二歩ひいて川を背にした。

三人はちかづきすぎている。

年齢《とし》はいずれも四十前後。青眼にとった切っ先を擬《ぎ》して、なで肩と肩幅短軀が左右にひらいていく。

真九郎は、青眼から右に返した切っ先で肩幅短軀の動きを追った。自然体《じねんたい》から足裏のぶんだけ左足をひく。顔は正面の中肉中背にむけているが、見てはいない。左右ふたりの動きをとらえる。

中肉中背が、切っ先を下段におとして返した。

「よくぞかわした。褒めてやる。が、いつまでつづくかな」

低い声に、嘲弄《ちょうろう》の棘《とげ》がふくまれている。

真九郎はこたえなかった。ゆっくりと息を吸って、しずかにはく。敵は遣える。怒りに身をまかせていては、不覚をとりかねない。

なで肩と肩幅短軀がまよこにきた。なで肩は八相に構え、肩幅短軀は脇構えにとった。ふたりが摺り足で迫ってくる。

中肉中背は動かない。

真九郎も、微動だにしない。

一陣の風がとおりすぎていき、梢《こずえ》がざわめいた。

なで肩と肩幅短軀が、同時に無言の気合を発して動く。

しかし、ふたりの体軀《たいく》が殺気にふくらんだ瞬間、真九郎は正面の中肉中背へむかってとびだしていた。

左足をわずかにひいた右半身《みぎはんみ》にとっていた中肉中背が、左足を斜めにおおきく踏みこんで腰をおとし、脚を薙《な》ぎにきた。

真九郎は、右足で地面を蹴り、跳んだ。敵の刀身が、足のしたを奔《はし》っていく。筑後の切っ先で夜空を突き刺し、宙で躰をひねる。

足が地面をとらえるなり、まっ向から斬りさげる。ふかぶかと中肉中背の右肩を裂いた筑後が、脇下の肋《あばら》を両断。

脾腹《ひばら》で、切っ先が抜ける。

「ぐぇーッ」

中肉中背が斜めまえに突っ伏す。

真九郎は、残心の構えをとることなく、顔と同時に刀身を返してさっと右よこにむけた。切っ先から血糊《ちのり》が散り、踏みこみかけていたなで肩が思いとどまる。

憎悪に面貌《めんぼう》をゆがめたなで肩が、振りかぶりかけた刀を青眼にもどす。

「きさま、よくも」

なで肩が右にひらいていく。左から、肩幅短軀が詰めてくる。左斜めよこでは、突っ伏した中肉中背がうめいている。

おおきくまわりこむなで肩につづいて肩幅短軀も右によっていく。

倒れている敵を盾となすは本意ではない。真九郎は、切っ先をなで肩に擬し、ふたりのまんなかに顔をむけて中肉中背から離れていった。

ふたりが立ちどまる。

真九郎は、躰をややなで肩にむけて筑後を八相にとった。呻《うめ》き声は、背後の三間（約五・四メートル）あまりさきだ。

なで肩が、刀身を左肩にかつぐような霞《かすみ》に構えた。

肩幅短軀は、脇構えにとり、摺り足で左よこにじわじわとまわりこみつつある。なで肩も、睨《にら》みすえ、腰をおとしかげんにして迫ってくる。

真九郎は待った。

ふたりの体軀がじょじょにふくらんでいく。

大気が乱れる。

肩幅短軀のほうがわずかに速い。

「キエーッ」

「オリャアーッ」

左足をひく。左脇を狙った肩幅短軀の斬撃《ざんげき》に筑後を叩きつける。

――キーン。

夜陰を裂く音が消えぬまに、左足をなで肩へ踏みこむ。両腕を額の右上で交差させる。かついだ姿勢からおおきく円弧を描いてきたなで肩の白刃が鎬をすべりおちていく。

一撃を弾《はじ》かれた肩幅短軀が八相にとりつつある。

待っているいとまはない。地面を摺りながら左足を右足のうしろまでひき、雷光の弧を描かせた筑後でなで肩に袈裟をあびせる。

切れ味するどい筑後の切っ先が、左肩下に消え、紙を裁つかのごとく肋と心の臓を裂いて胸へぬける。

「死ねぇーッ」

渾身《こんしん》の袈裟懸けが夜を裂き、剣風をおこす。

霧月《むげつ》――。

右足を軸に右回り、左足を軸にさらに反転。

「なにッ、消え……」

肩幅短軀があげた驚きの声を、右肩から斬りさげる筑後が絶叫へと変えた。

どさりと音をたて、肩幅短軀がまえに倒れた。

斬りさげた残心の構えのまま、真九郎は頭《こうべ》をたれ、眼をとじた。

みじめであった。怒りに我を忘れ、みずからとびだしてしまった。以前にも似たようなことがあった。

それこそ、闇の思う壺《つぼ》ではないか。

いったい、この戦いに、終わりがくる日はあるのか。

二

今治《いまばり》城内も城下も、いまださまざまな噂がとびかっていた。

鮫島《さめじま》家の衝撃から五日がすぎた二十一日の昼八ツ（二時）すぎ、太郎兵衛《たろうひょうえ》はいそぎ野駆けのしたくをするようおおせつかった。供回りは小人数にせよとのことであった。

太郎兵衛は、馬の用意を命じるのと、供回りをえらぶのと、野袴にきがえるのとを同時にやった。

供はおのれをふくめて五名にした。

主君は気まぐれではない。帰国のたびに一度ならず野駆けの供をしている。しかし、いずれのばあいも、かならず前日までに触れがあった。供回りを小人数にせよとのわざわざの達しも、かつてないことだ。

太郎兵衛は、肚《はら》をくくった。

ご下問があれば、すべてを正直に言上する。そして、責めは我が身のみにするよう嘆願する。

さいわい、太郎兵衛には一女二男の子がある。だが、脇坂小四郎《わきさかこしろう》は祝言をあげたばかりだ。

ほどなく、主君が姿をみせた。うしろにひかえる供侍四名ともども、太郎兵衛は片膝をついた。

主君を先頭に、鉄《くろがね》御門をでて、なだらかなくだりになっている長さ三十間（約五四メートル）の土橋からひろい馬出《うまだし》を左にむかい、中堀、外堀と橋をわたって城下にでる。

太郎兵衛は、そこで主君の右斜めまえに馬をすすめた。

道幅二間半（約四・五メートル）の本町《ほんまち》通りにはいる。

馬上の君主の姿に、町家の者たちが道ばたによってかるく頭《こうべ》をたれた。

本町通りには、間口十間（約一八メートル）余の大店《おおだな》もある。しかし、多くは、三間（約五・四メートル）から四間（約七・二メートル）前後の店である。

太郎兵衛は、左右の警戒をおこたらない。

本町通りから寺町《てらまち》通りにでた。

斜めによこぎって大泉寺《だいせんじ》と円浄寺《えんじょうじ》とのあいだの通りにはいる。寺をすぎると、また町家がある。

町家を後方にするまでは並足であった。

太郎兵衛は馬を抑え、主君のあとになった。

壱岐守《いきのかみ》が馬を駆る。太郎兵衛と若い供侍四名がつづく。

馬蹄《ばてい》の音に、木立から小鳥がとびたち、田畑の百姓たちが腰をのばした。

浅川《あさ》にちかい庄屋屋敷まで駆けた。

野駆けで庄屋屋敷によるのはめずらしくない。庄屋は、突然の来駕《らいが》に驚くこともなく出迎えた。

縁に腰かけて茶を所望した壱岐守は、暫時《ざんじ》庄屋と言葉をかわしていた。

太郎兵衛は、主君のお側《そば》で片膝をついている。野駆けのおりはかたときたりともお側を離れることはない。

庄屋へ茶の礼を述べた壱岐守が腰をあげ、供侍のほうへむかった。太郎兵衛は、やや腰をかがめてついていく。

壱岐守が言った。

「そちたちは、休んでおれ。予は、いまひと駆けしてまいる。太郎兵衛、ゆくぞ」

「はッ」

庄屋屋敷をでた主君は、馬首を海の方角へむけた。

やはり、と心中でつぶやいた太郎兵衛は覚悟をかためた。

鮫島家の騒動があって幾日もたっていない。城内で人払いをすれば、いらざる揣摩憶測《しまおくそく》をまねく。野駆けは、そのためであったのだ。

松林のてまえで、主君が馬を抑えた。

ゆっくりとすすんだ主君が浜のちかくで下馬した。太郎兵衛は、さっととびおり、主君の手綱をあずかった。

両馬の手綱を松の枝にゆわえる。

主君が浜へおりていく。

ここから城下のほうへ二十間（約三六メートル）ほど行ったところで、太郎兵衛と小四郎が刺客たちと刀をまじえたのを、むろんのこと主君は承知している。

瀬戸内《せとうち》は凪《なぎ》で、ひろい砂浜にも人影はなかった。小さな波が、ぽちゃ、ぽちゃと砂を濡《ぬ》らしているだけだ。

松林と渚《なぎさ》とのなかほどで、主君が立ちどまった。太郎兵衛は、斜めうしろで片膝をついた。

「太郎兵衛」

「はッ」

「松太郎《まつたろう》は、なにも書き残してはおらなんだという。予は、合点《がてん》がゆかぬ。乱心などという戯言《たわごと》も聞きとうはない。予が思うに、そちはなにかぞんじておるはずじゃ。ありていに申せ」

太郎兵衛は、正座して両手を膝においた。

「殿、申しあげまする」

壱岐守がふり返った。

太郎兵衛は、脇坂小祐太《こゆうた》の殺害から、鮫島松太郎が父の敵《かたき》である祖父を斬ったであろうことまで、淡々と言上した。

壱岐守は、驚き、太郎兵衛の周囲を歩きまわり、ついには海にむかって佇立《ちょりつ》したまま塑像《そぞう》のごとく微動だにしなくなった。

太郎兵衛は、語り終えた。

だが、壱岐守は遥《はる》かかなたへ顔をむけたままであった。

風もなく、渚ではちいさな波がよせては返し、陽が瀬戸内の空をゆっくりと西へ旅している。

壱岐守が静かな口調で言った。

「兵庫《ひょうご》は、そこまで耄碌《もうろく》しておったか。……太郎兵衛、兵庫はえがたい国老であったとは思わぬか」

太郎兵衛は力強くこたえた。

「仰せのとおりにござりまする」

「いささか強引なきらいがないではなかった。だが、国表《くにおもて》のことは安心してまかすことができた。兵庫亡きあとを案ずるがゆえに、余は小祐太や真九郎を召しだした。彦左《ひこざ》衛門《えもん》も左内《さない》も老いた。いずれ、隠居を考えてやらねばならぬ。兵庫にくらべればものたりぬはいたしかたないが、順之介《じゅんのすけ》には謙虚に他の言《げん》に耳をかたむけるよさがあった。そち、真九郎、小四郎……小祐太が生きておれば」

主君の声に、慨嘆《がいたん》があった。

太郎兵衛は瞑目《めいもく》した。目頭から涙がこぼれそうになったからだ。

砂の音に、太郎兵衛は眼をあけた。

主君が躰をむけていた。

「太郎兵衛、小祐太がことは彦左衛門に告げてはならぬ。小四郎にもしかと申しておけ。よいな」

「うけたまわりましてござりまする」

「家名存続の願いがでておるが、鮫島家は家内不始末で改易にいたす。小祐太へのせめてもの供養じゃ。……真九郎、そちは江戸にあって、あの兵庫をそこまで追いつめたか。予への酒樽《さかだる》、帰参のとりざた、みごとじゃ。太郎兵衛」

「はっ」

「小四郎を江戸へゆかせる。真九郎にことの始末をつたえ、存念をたしかめさせる。供の者が案じておろう、もどるぞ」

「殿、こたびがことは……」

壱岐守がさえぎった。

「申すでない。松太郎が乱心したのじゃ。ここで聞いたことは、二度と口にしてはならぬ。しかと申しつけておく」

太郎兵衛は、ふかぶかと平伏してから手と野袴の砂をはらい、主君のあとを追った。


二十二日、昼八ツ（二時）の鐘を聞いた真九郎は、文机にむかった。

雪江が、茶碗を盆にのせて厨へ行った。

十九日に桜井琢馬と別れたあとに思いついたことを、昨日《さくじつ》まで思案していた。

考えているとおりなら、いくつかの謎を解くことができる。が、真相の解明は困難である。知らぬぞんぜぬでとおされたらそれまでだ。家名の存亡がかかっており、むしろそうなる公算のほうがおおきい。

得心がいかぬまま探索をしている桜井琢馬のことを思い、真九郎は墨《すみ》を摺りながら文案をねった。

書き、手をくわえ、清書する。墨が乾くまでに、さらに短い文をしたためた。長い書状は封をして手文庫にしまい、短いほうはむすび文《ぶみ》にする。

下書きをたたんで文机におき、むすび文を手にした真九郎は、廊下で平助を呼んだ。

平助が厨からでてきて廊下に膝をおった。

真九郎はむすび文をさしだした。

「菊次へまいり、桜井どののへとどけるようおきくにつたえてくれ」

「かしこまりました」

平助が両手でむすび文をうけとった。

ほどなく居間にきた雪江に、真九郎は下書きをわたして夕餉のしたくのおりに竈《かまど》で燃やすように言った。ほんらいであれば、下書きなどは屑《くず》買いに売る。すると、浅草紙《あさくさがみ》に漉《す》きなおされる。

雪江がうなずき、胸のあわせめにしまった。

夕餉をすませて小半刻（三十分）ほどがすぎたころ、琢馬がきた。

真九郎は、上り口へむかう平助を呼びとめた。脇差を腰にして刀をもち、手文庫からだした書状を懐《ふところ》にいれる。

うめに弓張提灯をもたせ、雪江が見送りについてきた。

真九郎が表にでて格子戸をうしろ手にしめると、琢馬が訊いた。

「箱崎に行こうと思ってるんだが、いいかい」

「むろんです」

琢馬も弓張提灯をもっていた。

ならんで浜町《はまちょう》への脇道にはいった。

浜町の表通りを八丁堀島方面へむかって右におれ、湊《みなと》橋をわたる。琢馬が案内したのは、箱崎町一丁目にある船宿であった。

暖簾《のれん》をわけた琢馬が身をかがめるようにして土間へはいっていくと、六十年輩の亭主が満面の笑みをこぼしながら足早にやってきて膝をおった。

「これはこれは、桜井の旦那、おひさしぶりにございます」

「おやじ、元気でやってるようだな」

「ありがとうございます」

「二階の奥、あいてるかい」

「はい。すぐにすすぎを」

「八丁堀からだ。いらねえよ」

「では、どうぞおあがりください」

ふたりは、提灯の火を消し、手拭《てぬぐい》で足をはらった。

六畳の座敷に案内した亭主に、琢馬が立ったままで酒とかんたんなつまみをたのんだ。

亭主が、手燭《てしょく》で火をいれた行灯を座敷の対角におき、辞儀をして襖《ふすま》をしめた。

琢馬が、窓の障子をあけ、上座にすわった。

真九郎は、下座対面に膝をおった。

琢馬が顎をしゃくる。

「さびれてるだろう」

「ええ」

「窓のしたにひろい庭がある。暗くて見えねえが、庭もそうなんだ。おいらの親父《おやじ》のころは繁盛してたらしい。娘がひとりあったんだが、男運がなくてな。最初の亭主は身持ちがわるくて離縁し、ふたりめは夫婦《めおと》になって半年くれえで病で死んだそうだ。どっちとも、子ができなかった。娘も、つぎの年にあの世へ逝《い》っちまったらしい。それでも、がんばっていたんだがな、おやじも歳《とし》をとり、いまじゃこのざまよ」

「身よりは」

「いねえ。おめえさんが内密の話って書いてあったろう。それで、ここを想いだしたってわけよ。艶《つや》っぽいことならここじゃ興ざめだが、おめえさんのこった、まさかそうじゃねえだろう」

真九郎は苦笑した。

「ちがいます」

「やはりな。話は酒がきてから聞くよ」

「わかりました」

ほどなく、亭主と三十路《みそじ》の女中が食膳をはこんできた。

亭主は恐縮しきった顔をしている。

「桜井の旦那、あらかじめお報せいただければ、もうすこしましなものをご用意できたのですが……」

「飯は食ってきたし、気にしなさんな。この旦那と話があるんだ。呼ぶまで誰もちかづけねえでくんな」

「かしこまりました。ごゆるりとどうぞ」

辞儀をした亭主と女中が去った。

食膳には、銚子と杯、香の物をいれた小鉢があるだけだ。

たがいに手酌で諸白を注ぐ。はんぶんほど飲んだ真九郎は、杯をおいて懐から書状をだした。

「まずはお読みください」

座を立ち、琢馬の食膳のまえで膝をおって書状をわたしてもどった。

書状には封がしてある。しかし、表書きも裏書きもない。裏を見た琢馬が、真九郎に怪訝な眼をむけてから封を切った。

読みはじめた琢馬の表情が、たちまちきびしくなる。

せわしく顎をひき、駆けるように読んでいった琢馬が、顔をむけた。眼にあるのは、驚きだけであった。

琢馬が、ふたたび書状に眼をおとした。

今度はじっくりと読んでいく。

読み終え、ながい書状をおって、もとのように半紙で包んだ。

「こいつは、おいらが預っていいかい」

「むろんです」

琢馬が、書状を懐にしまった。

「おめえさん、いつ、こんな途方もねえことを考《かんげ》えた」

「一昨々日《さきおととい》、土佐守さまがなにゆえさらなる探索をお命じになったのか、桜井さんは首をかしげておいででした。あの夜、家に帰ってふと思いついたことがあり、昨日《さくじつ》まであれこれと思案しておりました。それを、昼間、まとめながら書いてみました。手をくわえ、清書したのがお読みになった書状です」

「そうかい。明日《あす》、お奉行にそっと読んでいただき、ご相談してみる」

「お願いします」

「ああ。おいらだけじゃあ、どうしようもねえからな。どうするかは、お奉行のご判断しでえだ」

琢馬が、ようやく顔をなごませた。

「残しちゃあ、おやじが気に病《や》む。すまねえが、おめえさんも、食って、飲んでくんねえか」

真九郎は笑みをうかべた。

「いただきます」

真九郎は酒にくわしくない。それでも、諸白は菊次で飲むものよりも味と香りがおとるように思えた。香の物も塩がききすぎる。だが、そのおかげで酒がすすんだ。

真九郎が四杯めを注いだところで、琢馬が眼でほほえんだ。

「想いだしたんだが、ここのは昔から塩辛かった。酒をよけいに飲ませようって魂胆なんだろうよ」

「たしかに酒がすすみます」

「みてえだな。なあ、おいらが十八のときに親父が冥土《めえど》へ旅立ってしまったのは、たしか話したよな」

「ええ、うかがいました」

「十六から見習をしてたんだが、正直言って、あんときはこまった。そんとき、いろいろと世話をやいてくれたんが、あれの親父どのだった。それが縁で、あれが十七になったんで祝言をあげたのよ。おいらは二十五だった」

真九郎は、黙って耳をかたむけていた。

琢馬が、てれくさげにちらっと見た。そして、茄子《なす》を指でつまみ、口にほうりこんで諸白を呷《あお》った。

はじめて見たときは驚いたが、琢馬の奇癖《きへき》に慣れた。

「ここのおやじも、娘がせめて孫でも遺《のこ》しておいてくれりゃあ、商売《しょうべえ》に張りがでたろうし、こんなにさびれやしなかったんだろうがな」

琢馬が言わんとしていることが、真九郎はわかった。

子への親の情愛。書状の内容が、琢馬を感傷にひたらせている。琢馬には二女一男の子がある。真九郎が子をつくらないでいると思っているようだが、そうではない。

真九郎は、みずからに問いかけてみた。

国もとにいたころは、幼い甥《おい》と姪《めい》がいた。ふたりともかわいかった。おのれの子なら、なおさらに愛《いと》おしいだろうとは思う。

しかしいまは、雪江の心の傷が癒え、以前にもどってくれるのを願っている。雪江に泣かれたおりには、おのれの愚かさを呪いたくなった。

香の物を食して銚子もからになり、ふたりは座敷をでた。

土間で弓張提灯に火をもらい、琢馬が財布から二朱金（八枚で一両）をだした。

「おやじ、つりはいらねえからとっときな」

「桜井の旦那、こんなにいただき、申しわけございません」

「いいってことよ。おやじ、元気だしな。たまに顔をだすが、おめえもこまったことがあったら遠慮しねえでたずねてくるんだぜ」

「ありがとうございます」

二朱金を両手でおしいただいた亭主が、眼をうるませて何度も頭をさげた。

湊橋をわたった四つ辻で、真九郎は八丁堀へ帰る琢馬と別れた。


つぎの日に平助を使いにやった真九郎は、翌二十四日の上屋敷からの帰りに神田鍛冶《かんだかじ》町《ちょう》の美濃《みの》屋へよった。

すぐに七左衛門《しちざえもん》がきて、奥の客間に案内した。

茶をもってきた女中ふたりが廊下を去った。

「美濃屋さん、知っているのであれば、教えてほしいことがあるのだ」

「なにごとでござりましょう」

「書院番組頭に千二百石の牧野《まきの》さまと申すおかたがおられるそうだが、なにかぞんじておらぬか」

「牧野さま……。あいにくと、お出入りさせていただいてはおりません」

「さようか」

期待していただけに、真九郎はいくらか落胆した。

七左衛門が、わずかに眉をひそめた。

「鷹森《たかもり》さま、闇にかかわりがあるのでございましょうか」

「訊いておいてすまぬが、こみいった事情があるのでくわしくは話せぬのだ」

「お出入りはいたしておりませんが、ご大身のお殿さまにございます。噂ていどでよろしければ……」

真九郎は、うなずいた。

「それでよい。ご当主のお歳はいくつぐらいかわかるか」

「はい。六十にはいまだなっておられぬかと思います。おそらくは、八か九あたりかと」

「お人柄はどうだ。なにか耳にしてはおらぬか」

七左衛門が困惑の表情をうかべた。

商人としての立場がある。口がかるいとの評判がたっては信用にかかわり、商いにもさしつかえる。

真九郎は、なにも言わずに待った。

「鷹森さまには、お世話になっております。……ごぞんじでございましょうか。ご書院番からは、お目付なり、遠国《おんごく》奉行なりとご出世の道がひらけております。ましてや、千二百石のご大身にございます。ですが、組頭となられたのも、ご身分のわりには遅かったそうにございます。ご当人は、それを不満にお思いになっておられるとか。ご大身のお殿さまにはありがちでございますが、気が短く、思うようにならないと癇癪《かんしゃく》をおこすこともあるやにうかがっております」

「美濃屋さん、礼を申す」

「お役にたちましたでしょうか」

「うむ。じゅうぶんにな」

「鷹森さま、これは申しあげるまでもございませんが……」

真九郎は首肯《しゅこう》した。

「わかっておる。この件で美濃屋さんの名がでることはない。約定《やくじょう》しよう」

「ありがとうございます」

ほどなく、真九郎は茶の礼を述べ、店さきで七左衛門に見送られた。

その夜、五つ（八時）の鐘が鳴って小半刻（三十分）あまりがすぎたころ、桜井琢馬がたずねてきた。

真九郎は、平助を制して上り口へ行った。

琢馬はひとりだった。

「用はすぐすむ。ちょいと表へでてもらえねえか」

「承知いたしました。お待ち願えますか。脇差にかえてまいります」

「ああ、表にいる」

真九郎は、寝所の刀掛けに小脇差をおき、脇差をとった。

居間で雪江が見あげている。

真九郎はほほえんだ。

「つたえたいことがあるそうだ。表で聞くので、すぐにもどる」

琢馬は表で格子戸を背にしていた。真九郎は、外にでて、うしろ手で格子戸をしめた。

和泉屋裏通りで灯りがあるのは、横道かどの十世次だけだ。

琢馬が、さりげなく左右に眼をくばった。

「お奉行が、あれでさぐってみるようおっしゃってた。だが、もうちょいはっきりするまでは、半次郎や藤二郎にも話せねえ。おめえさんもそのつもりでいてくれるかい」

「わかりました。わたしのほうからもお話ししたきことがあります」

真九郎は、七左衛門から聞いたことをつたえ、美濃屋の名は伏せるようにたのんだ。

「明日《あす》、お奉行にご報告するが、おいらも美濃屋からだとは知らねえことにしとく」

「申しわけございません」

「なあに。大事《でえじ》なのは誰がじゃなく、話の中身よ。どうやら、おめえさんの読みどおりってことになりそうだな。はたして、どこまで解きほぐせるか。……まあ、やってみるしかねえな。じゃ、おいらは行くぜ」

「ごくろうさまです」

琢馬が、気にしなさんなというふうに右手をあげ、浜町への脇道に去っていった。

三

二十五日、太郎兵衛は蒼社川《そうじゃ》へむかっていた。主君の許しをえて、早朝に出立する脇坂小四郎を国境《くにざかい》まで見送っての帰りであった。

小四郎の表向きの役目は、鮫島家の一件を江戸上屋敷の老職たちに告げ、殿の意向をつたえることにある。

太郎兵衛が知るかぎりでは、小四郎の大任に疑念の眼差をむけた者はいない。なにしろ、実父の戸田《とだ》左内は大目付であり、義父の脇坂彦左衛門は殿の信任厚い側用人である。しかも、出仕して日が浅いので勘定方にも支障はない。

まさに、適任であった。

蒼社川の下流は、城の外堀の役目をはたしているので橋が架かっていない。そのため、河口ちかくに渡し場がある。

海ぞいの松原にそった道の前方に、蒼社川の土手が見え隠れするようになった。左は潮風を防ぐための雑木林がつづいている。

河原にある水茶屋の屋根が土手のむこうに見えてきた。

太郎兵衛は、ふと足をとめ、松原にするどい眼差をなげた。そのまま、一点を睨みすえる。

幹がかさなりあった陰から二本差しがあらわれた。

井坂権之助《いさかごんのすけ》だ。

松太郎が祖父の兵庫を斬った夜から、権之助は行《ゆ》く方《かた》知れずとなっていた。小四郎を見送ることにしたのはそのためだ。

丸亀《まるがめ》城下までついていって船にのるまでを見とどけたかったが、それでは家中の者の不審をまねきかねないので断念した。

権之助が、ついてこいと顎をしゃくり、背をむけた。

太郎兵衛は、松原へとはいっていった。

権之助から五間（約九メートル）ほどの間隔をおいて松原をでる。

胸の紐をほどいた権之助が、羽織《はおり》をぬぎ、浜へ投げた。

「一度立ち合いたいと思うておった。したくをしろ」

無礼な言いようである。もはや鮫島家の家士ではないと宣したいようだ。

太郎兵衛は、羽織紐に手をもっていった。

「たずねたきことがある」

権之助が冷たく応じる。

「申してみよ」

「ご家老に命じられ、馬上甚内《まがみじんない》を案内《あない》して脇坂小祐太を殺害させたはそのほうだな」

「やはり、噂のでどこはおぬしらであったか」

「松太郎どのは、順之介どのを闇討させたはご家老だと誰に教わったのだ。よもやそのほうではあるまい」

「たわけたことを。殿は、お年をめして、独り言をなさることがあった。あの夜、それを聞いたのかもしれぬ。父上が無惨なめに遭《あ》われたんであのような暗い顔をしておるのかと思うておったが、そうではなかったようだ。殿のおられぬ城下に、未練などない。みょうな奴らに声をかけられておる。土産《みやげ》がわりに、かの者どもがしくじったおぬしを斬る」

権之助が懐からだした紐で襷をかける。

太郎兵衛もまた、襷掛けをして股立をとった。鯉口を切り、刀を抜く。この日も、用心のために家伝の鬼塚吉国を腰にしていた。

たがいに青眼にとる。

摺り足でちかづいていく。

権之助が、青眼から八相にとった。太郎兵衛は、ゆっくりと切っ先をさげ、刀身を右に返した。

なおも、たがいに、じりっ、じりっとよっていく。

二間（約三・六メートル）余。

ぴたりと止まる。

気《け》どられぬよう、しずかに息を吸って、はく。

瀬戸内は湖面のごとくおだやかで、やわらかな秋の陽射しが描くふたりの影が、砂を這《は》っているだけだ。

たがいに相手を睨み、まばたきさえしない。権之助の眼差には憎悪が、太郎兵衛のそれは気迫であった。

こらえかねたかのように、権之助の上体がふくらみ、切っ先が伸びる。

殺気がほとばしった。

権之助が踏みこむ。

太郎兵衛は、右足で砂を蹴るようにして左足を踏みこんだ。右膝が砂を掘り、吉国が横薙ぎに奔《はし》る。

権之助の袈裟懸けのほうが疾《はや》い。白刃が大気を裂き、唸る。

しかし、権之助の渾身の一撃は、腰をおとした太郎兵衛の右肩さきをかすめていった。吉国が、権之助の下腹を一文字に裂く。

切っ先が抜けた。

さっと腰を伸ばして躰をよこにする。

面貌をゆがめた権之助が、刀をおとし、突っ伏した。

太郎兵衛は、左八相にとっていた残心の構えを解いた。口をすぼめて息をはき、吉国に血振りをくれる。

「む、無念」

権之助は怒りにとらわれていた。

斬りあげるよりも斬りさげるほうが加速がつく。だからこそ、太郎兵衛はあえて下段にとった捨て身の一撃に賭けたのだ。

江戸でたびたび刀をまじえているという真九郎のことを、太郎兵衛は思った。小四郎の役目は、真九郎の存念をたしかめるのではなく、帰参せよとの殿の内意をつたえるにある。

帰ってくることはあるまいと、太郎兵衛は諦念《ていねん》とともに確信している。脇坂彦左衛門もそう思ったからこそ、小四郎を小夜《さよ》の婿養子に迎えることにしたのだ。

真九郎と雪江をたちのかせたいと彦左衛門が申しでたとき、太郎兵衛は賛同した。彦左衛門の真意が読めたからだ。

あのとき、彦左衛門は殿に事情を説明してお許しを願い、あらためて真九郎を雪江の婿養子として呼びもどす腹づもりでいたのだ。そうでなければ、出奔《しゅっぽん》などすすめるはずがない。

太郎兵衛も、可能だと思った。

現に、殿は真九郎を呼びもどすつもりでおられる。

しかし、家中には、表向きはともかく内心ではおもしろからず思う者がかならずやでてくる。

主君の寵愛《ちょうあい》は、他の者の羨望を、そして羨望はえてして嫉視や敵意につながる。

太郎兵衛は、真九郎の聡明さとその心根のやさしさを知っている。みずからが帰国すれば、鷹森と脇坂両家に迷惑をおよぼすことになる。あのおりは思いいたらなかったが、真九郎はそこまで思案して決意したのだ。

太郎兵衛は胸中で呼びかけた。

──真九郎、死ぬなよ。生きてさえおれば、会える日もあろう。

襷をはずして羽織をもち、太郎兵衛は道をいそいだ。


箱崎の船宿で桜井琢馬と会って五日がたった。

この日は、未明からの霧雨が江戸を淡い灰色にそめ、肌寒いほどであった。ひと雨ごとに秋がふかまっていく。そんな季節になった。

朝のうちに、寺田平十郎から書状がとどいていた。短い文面であったが、真九郎は確信をふかめた。

すぐにも琢馬に連絡をとりたかったが、たびたびふたりだけで会っていては成尾半次郎や藤二郎が怪訝に思う。

昼八ツ（二時）の鐘が鳴ってほどなく、表の格子戸が開閉した。

「おいらだ。いるかい」

上り口に行った平助がうめを呼んだ。

真九郎は客間にうつった。

鴨居《かもい》をくぐるようにしてはいってきた琢馬の柔和な表情を見て、真九郎は成果があったなと察した。

琢馬が霧雨のながれている庭を背にしてすわるのを待って、真九郎は言った。

「桜井さん、燗《かん》をするように申してあります」

「そいつはすまねえ。今日はやけに冷えるもんな。しかし、昨日《きのう》までは晴れてたすかったぜ」

琢馬がにこっと笑った。

真九郎もほほえみをかえした。

琢馬がふいに真顔になった。

「今日は二十八日だったよな」

「そうです」

「今月は、たしか大の月だろう。明後日《あさって》は晦日《みそか》ってわけだ」

真九郎は首肯した。

「わかっております」

「半次郎を迎えに行かせるって言っても、おめえさん、承知すめえな」

「桜井さん、お気持ちだけいただいておきます。人を斬るのはいやなものです。半次郎どのをまきこみたくはありません」

それに、このところの敵はいくたびとなく修羅場をくぐりぬけたであろう遣い手ばかりである。半次郎の腕ではあやうい。

真九郎は、身をのりだして声をひそめた。

「わたしがひとりでなければ、かの者どもはここを襲いかねません」

琢馬も小声になった。

「そこまでは考《かんげ》えなかった。すまねえ」

「お気になさらずに」

廊下を衣《きぬ》擦《ず》れがちかづいてくる。

真九郎は、上体をなおした。

琢馬がならう。

食膳をもった雪江とうめがはいってきた。

琢馬に挨拶をした雪江が、うめをうながして廊下を去っていった。

注いだ諸白をはんぶんほど飲んだ琢馬が、杯をおいた。

「そこの髪結床《かみゆいどこ》で、亀《かめ》に見張らせてある。だから、聞き耳をたてる奴がいたらすぐにわかる」

「よほどのことが判明したようですね」

「まあな。あのつぎの日から、見まわりは半次郎と藤二郎にやらせてる。何人かの手下《てか》に人捜しをやらせ、おいらは川越《かわごえ》へ行ってきた」

「寮にいた若い女中……」

琢馬が首肯した。

「手下《てか》たちは、娘が生まれたころに奉公してた女中たちを捜させておいた。帰《けえ》ってきて、そいつらにも会った。で、てえげえのところはわかったように思う。聞いてくんな」

話は、桔梗屋の主久兵衛とつたが夫婦《めおと》となった二十八年まえにまでさかのぼる。

祝言をあげてひと月ほどのち、ふたりでつたの実家《さと》に挨拶に行った帰りのことであった。

うしろをついてくる供の女中はむろんのこと、つたも裾《すそ》を扱帯《しごきおび》でからげて両親からの土産《みやげ》を両手で胸もとにもっていた。

久兵衛の斜めうしろを歩いていたつたが、なにかにつまずいて下駄の鼻緒が切れ、倒れかかった。

こらえようとしたつたは、もっていた風呂敷包みを投げだした。それが、運悪くちかくで立ち話をしていた武士の鞘《さや》にぶつかってしまった。

さっとふり返った羽織袴の武士は血相をかえ、無礼者と大喝《だいかつ》して、そこへなおれと怒鳴った。

相手は三人づれの勤番武士で、江戸見物にでた途中のようであった。

久兵衛とつたは、すぐさま跪《ひざまず》き、地面に額をこすりつけんばかりにして詫《わ》びた。

しかし、相手の怒りはおさまりそうにもなかった。ほかのふたりも同調した。

「おのれッ、武士の魂をなんと心得るか」

みずからの声に相手はますます激昂《げきこう》し、右手を柄にかけていまにも抜かんばかりであった。

通りかかった者が遠巻きにしつつあり、供の女中もふたりのうしろで低頭したままうごかない。

そのとき、割ってはいってきた武士があった。

久兵衛と同年輩の武士は、書院番の高木勝一郎《たかぎかついちろう》と名のった。

「それがしは見ていたのだが、内儀がころびそうになり、風呂敷包みがとんだのだ。許してやってはもらえませぬか。いずこのご家中ですかな。のちほど、この者たちにはかならず詫びに行かせましょう」

幕臣のていねいな名のりに、相手はうろたえた。礼儀としては、当然名のらなければならない。しかし、江戸の町家でのいざこざはみずからの叱責につながりかねない。なんといっても、仲裁にはいった相手がわるい。

「い、いや。名のるほどのことではござりませぬ。鞘にぶつけられたゆえ、つい激したしだいでござりまする。そこもとさまにお任せいたしまする。ご無礼つかまつりまする」

三人は、勝一郎へ一揖すると、足早に去っていった。

泣かんばかりに感謝するふたりに、気をつけて帰れよと言い残し、勝一郎も歩み去った。

書院番の高木勝一郎。それだけわかれば、屋敷をさがすのはたやすい。

つぎの日、ふたりは手土産をもって屋敷をおとずれた。

それからも、久兵衛はおりをみては屋敷にかよった。勝一郎は、ふたりにとって命の恩人も同然であった。

翌年、はつが生まれた。三月《みつき》ほどして、勝一郎が前触れもなく桔梗屋にきた。

数日まえ、高木家に長女の藤《ふじ》が誕生した。久兵衛は、さっそくにも祝いの品をもってたずねている。そのわりには、勝一郎はうかぬ顔であった。

勝一郎は、つたの乳の出をたずねたあと、妻女がそれでこまっているのだとうちあけた。

久兵衛はすぐに思案をまとめた。

高木家は三百二十石で敷地はあるが家屋はひろくない。屋敷の場所は神田川をわたった水戸徳川家の上屋敷ちかくだ。

そこから遠くない湯島《ゆしま》一丁目で、つたの実家はおおきな瀬戸物問屋を営んでいる。そこで乳離れがするまでふたりを育ててはどうであろうか。

勝一郎は同意した。縁《えにし》の不思議で、久兵衛とつたに次女が生まれ、ふた月後には高木家にも次女が誕生した。

次女が生後すぐに亡くなったので、つたは藤の遊び相手としてはつをともなって高木家で一年あまり暮らした。帰ってきてからも、三女を身籠《みごも》るまではつともどもよく屋敷に呼ばれていた。

そして、十二年まえ。

寮にいた女中の名はたけという。

琢馬が、久兵衛が身投げしたことを告げると、あんないい旦那さまがと泣きくずれ、やがて知っていることをすべて語った。

あの日、はつはふいにいなくなったわけではなかった。久兵衛と勝一郎、藤とはつの四人で、舟遊びにでかけた。一刻半（約三時間）ほどして、久兵衛だけが寮にもどってきて、つたとしばらく話していた。

その後、久兵衛から客間に呼ばれたたけは、これからおこることはけっして他言してはならないと誓わされた。

久兵衛は、終始硬い表情であったが、最後にたけにもわるいようにはしないから安心しなさいと言って、店《たな》へ帰っていった。

やがて暗くなり、騒動がもちあがったのだった。

たけは、三女のめんどうをみているように言われ、はつの亡骸《なきがら》にちかづかせてもらえなかった。

はつの初七日も寮ですませた。そのかんも、たけは、大恩《だいおん》あるおかたのためなのだからけっして口外してはならないと、くどいほどに念をおされた。

たけが過分な金子《きんす》とともに暇をだされたのは、四十九日の法要もすんでほどなくであった。

「……ということよ。たけは、はつが舟遊びの最中に川へおちるなりしたんで、高木のお殿さまへ迷惑がおよぶのをおそれて、久兵衛が芝居をしたんだと信じていた。話を聞いたほかの女中もおんなしよ。それまでは親しく行き来していたのに、ぴったりと絶えた。いまでも、あんなことがあったんだから縁遠くなったんは当然だと思ってる。誰ひとりとして、死んだんがはつだと疑ってねえ。たけは、はつがきてたびしょ濡れの着物や肌着なんかをかたづけてる。それとな、はつと藤は背恰好《せかっこう》がおんなしで、姉妹かと思うほどによく似た縹緻《きりょう》よしだったそうだ」

「たったの三日で、よくそこまで調べられたものです」

「なあに、なにを探索すればよいのかさえわかれば、あとは手間隙《てまひま》だけよ。藤二郎の手《て》下《か》たちが、駆けまわって当時奉公してた女中たちを見っけてくれたおかげだがな。それと……」

琢馬が苦笑をこぼした。

「たけが、桔梗屋によくしてもらったからって、なかなか口をわろうとしねえ。で、まあ、しかたねえから、それなら江戸までひっぱってって伝馬町《てんまちょう》の牢《ろう》屋敷にへえってもらうことになるって脅したんだがな」

真九郎は、口端《こうたん》に笑みをうかべた。

「ほかの女中たちも……」

「みなじゃねえがな。おめえさん、察してたのかい」

「たけは、久兵衛によほどの約定をさせられたはずです。それに金子のこともありますから、身投げしたと聞かされ、ますます話してはいけないときめこんだのではないかと思います」

　琢馬が、しみじみとした眼で見つめる。

「おめえさんは、つくづくみょうな奴だぜ。あたりめえなことはとんちんかんなくせに、闇の仕組みもそうだったが、今回にしても、とんでもねえとこに頭がまわる」

　真九郎は首をかしげた。

「それほどとんちんかんでしょうか」

「まあ、てえげえの奴よりはな。そんなこたあ気にするねえ。おめえさんは、それだからいいのよ。それよか、聞いてくれ。町家の娘がいったん武家の養女となって、御家人なりお旗本なりに嫁ぐのがねえわけじゃねえ。おおきな声じゃ言えねえが、大奥へだってある。それでも、おいらがわからねえのは、高木ってお旗本が、なんでそんなやべえ橋をわたったかってことよ。ばれりゃあ、ただじゃすまねえぜ」

「そのことですが、寺田平十郎どのから文がとどいておりました」

「ご妻女の従兄《いとこ》だっていうお旗本だったな」

　真九郎は首肯した。

「高木家の藤どのが片岡家へ嫁いだのは、十七の約束だったのが一年遅らせたそうです」

「三年か。はつはちっちぇえころから高木のお屋敷へ行ってる。それでも、武家の行儀作法に言葉遣いまでしこむとなると、それくれえはかかるな」

「それと、高木家は、次女の婿養子に牧野家の四男を迎えたそうです」

一重の眼が光った。

「そういうことかい。長女の縁組をきめたんも、そのご大身の組頭だな。で、四男を次女の婿養子に押しこむ。なるほど、片岡家も牧野家の縁続きだしな、藤どのにはどうあっても生きててもらわなけりゃあならなかったってわけだ」

「片岡家と高木家の縁組がお届けずみでしたら、牧野さまの評判からして、急病《きゅうやまい》ですますことができたかどうか」

「だろうな。許嫁《いいなずけ》は夫婦《めおと》も同然。それを舟遊びなんぞにつれだして死なせちまった。詫びのしようがねえ」

諸白で喉をうるおした琢馬が、杯をおいていくらか身をのりだした。

「いま聞いたことはお奉行にご報告するが、おめえさんとはどっかであらためて話してえんだ」

真九郎も声をひそめた。

「お待ちしております」

上体をなおした琢馬が、首をめぐらした。

「まったく、飽きもせずによくふりやがるぜ」

四

つぎの日も小雨もようの一日だったが、晦日は晴れた。そして、団野道場へ行く日の約束ごとのように、帰路で刺客が待ちうけていた。

諦念とも絶望ともつかぬやりきれなさがおのれを蝕《むしば》みつつあるのを、真九郎は自覚した。しかしこのときも、家で帰りを待っている雪江を想うことで、みずからを奮《ふる》いたたせた。

箱崎ではいくたびも襲われているがゆえに、真九郎は緊張した。だが、霊岸島新堀に架かる湊橋をわたっても、なにごともなかった。

真九郎は安堵した。

四つ辻になっている正面に自身番屋と木戸がある。まっすぐにすすみ、つぎのかどを左におれれば浜町の表通りである。和泉屋裏通りへつうじる脇道まではすぐた。

――今宵はなかった。

内心でつぶやき、浜町の表通りにまがったときだった。

雲間にわずかな星があるだけで、表通りはすべて戸締りがされている。しかし、大神《だいじん》宮《ぐう》の裏へつうじる脇道からの灯りが暗い通りへ帯をひろげていた。

真九郎は立ちどまった。

灯りの帯が、動かない。ちかづくでも去っていくでもなく、そこにたたずんでいるのだ。

あらんかぎりの声で叫びたいのを、真九郎はかろうじてこらえた。緊張をしいられ、ようやく安堵したところを待ちうける。

なんという狡猾《こうかつ》さだ。おのが掌中《しょうちゅう》の獲物を追いつめ、なぶるがごときやりようである。

――負けてはならぬ。

真九郎は、おのれに言いきかせた。

何者かがひそんでいるのはあきらかだが、まるで気配を感じさせない。真九郎は、脇道を睨みすえたままで待った。

灯りの帯がひろがる。脇道から人影がでてきた。ふたりだ。しかも、ふたりとも六尺（約一八〇センチメートル）ちかい大柄であった。

ふたりがむぞうさな足どりでちかづいてくる。

五間（約九メートル）ほどのところで立ちどまる。

真九郎は訊いた。

「それがしに用か」

「命をもらうだけよ。したくしろ」

右の狐眼《きつねめ》が低い声で言った。

無印の弓張提灯をもっている左は、やや細面で歳も狐眼にくらべると若い。狐眼が三十前後、細面は二十七、八見当だ。

しかしふたりとも、このところの浪人たちのような死臭がただよっていない。

細面が、表店《おもてだな》によっていって弓張提灯をおいた。

真九郎は、対角になるように右の道ばたに風呂敷包みをおいて小田原提灯の柄《え》をさした。

通りのまんなかにもどり、紐で襷をかけて股立をとる。

ふたりも同様にしている。左手を鯉口にもっていき、右手を柄《つか》にそえた細面が、眼をすえたままで言った。

「兄じゃ、さきにやらせてくれ」

「いや、こやつの住まいはすぐそこだ。さっさとかたづけ、早々に立ち去るとしようぞ。いつ邪魔がはいらぬともかぎらぬ」

「心得た」

ふたりが、刀を抜く。

真九郎は、抜刀して青眼にとった。ふたりも青眼に構えている。なまなかの腕ではない。

ふたりが摺り足になる。真九郎は、鎌倉《かまくら》の切っ先を狐眼の眉間に擬し、自然体《じねんたい》からわずかに左足をひいた。

通りの幅は六間（約一〇・八メートル）。

狐眼がひらいていく。その動きに鎌倉の切っ先をあわせ、右足をゆっくりりひく。正面から迫る細面に左肩をさらす恰好になる。それほど、狐眼の足はこびは真九郎を警戒させた。

彼我の間隔が三間（約五・四メートル）を切る。

細面がわずかに腰をしずめた。体軀がふくらんでいく。

くる――。

細面の気配に、狐眼がとびだす。

真九郎は、細面へむかった。正面とみせかけ左よこへ転ずる。

「オリャアーッ」

振りかぶった細面の一撃が斜めからきた。左に返した鎌倉で弾きあげる。

――キーン。

細面が、刀身に弧を描かせて胴を薙ぎにきた。斜め後方からは狐眼が迫っている。

真九郎は、斜めまえに跳んだ。宙で躰をまわす。

よこに奔《はし》る細面の白刃を追うように狐眼が踏みこんでくる。

足が地面をとらえる。

狐眼がとびこんできた。

大気を裂いて襲う白刃の鎬に、鎌倉を叩きつける。

一合、二合、三合、四合――。

狐眼の横薙ぎが水月《みぞおち》の一寸（約三センチメートル）さきをかすめ、小手を狙った真九郎の一撃はとびすさってかわされた。

左よこから細面が袈裟にきた。左足をひく。細面の一撃を弾くと同時に右足をひき、胴を狙った狐眼の白刃に鎌倉をぶつける。

踏みこんだ細面がふたたび袈裟にくる。

霧月──。

右回りに反転につぐ反転。

とびのかんとする細面の右肩から左脾腹へと鎌倉の切っ先が奔る。着衣と肉と骨が断たれてゆく。

「ぐえっ」

細面が、斜めまえへ躰を投げだすようにして倒れた。

狐眼が眉間に縦皺《たてじわ》を刻み、大上段に構えてゆっくりと倒れている細面をまわりこむ。

「みょうな剣を遣う」

真九郎は、無言で、一歩、二歩、三歩としりぞいていった。

うなり声を発している細面を背にした狐眼が、通りのまんなかへとうつっていく。

鎌倉を青眼にとった真九郎も、狐眼を正面にとらえながら斜め後方に歩をすすめた。

狐眼が小田原提灯を、真九郎は弓張提灯を背にしている。

切っ先が天を突く大上段にとった狐眼が、じりっ、じりっと迫ってくる。殺気が両肩から炎《ほむら》となってたちのぼり、大気をゆらしている。六尺（約一八〇センチメートル）ちかい体軀が仁王のごとくふくらむ。

真九郎は、得意の八相にもっていった。

左手で柄をにぎり、右手はそえるだけにする。撃つ瞬間に茶巾絞《ちゃきんしぼ》りにする。それが、直心影流《じきしんかげ》の刀法だ。

足は自然体《じねんたい》。眼差を、敵の喉にさげる。視《み》るのではなく、敵の動きを察知する。

ゆっくりと息を吸い、ゆっくりとはく。臍下丹田《せいかたんでん》に気をため、待つ。

二間（約三・六メートル）。

「トリャアーッ」

「ヤエーッ」

同時に踏みこむ。

敵の白刃が大気を裂いて落下。

鎌倉が、雷光と化す。敵の左腕を両断し、左胸から右腹部へ、袈裟に裂いて奔っていく。

斜め半身となった左肩さきを、狐眼の刀身が力なくおちていった。

心の臓を裂かれた狐眼が、声さえ発せずに斃《たお》れる。

残心の構えをとき、鎌倉に血振りをくれる。懐紙《かいし》をだしてていねいにぬぐう。

眼を閉じ、肩でおおきく息をしてから眼をあけた。

鎌倉を鞘にもどす。

ふたたび、おおきく息をする。

小田原提灯と風呂敷包みを手にした真九郎は、弓張提灯の蠟燭《ろうそく》を吹き消し、塩町へむかった。


晩秋九月になった。

朔日《ついたち》、二日、三日とすぎていったが、桜井琢馬からの連絡はなかった。

三日は青空よりも白い雲のほうが多くなり、四日は薄墨色の厚い雲が空一面を覆った。そして、五日は未明からの小雨であった。

真九郎は、廊下であぐらをかいて客間と居間とのあいだにある柱にもたれかかり、雨を見ていた。

夕七ツ（四時）を告げる捨て鐘が鳴りはじめた。三度の捨て鐘につづいて時の数だけ鐘が鳴る。

庭にはいくつもの水溜《みずたま》りができている。廂《ひさし》からは格子状に絶え間なく雨水《あまみず》が流れおちてくる。

空は白っぽい水色だ。

狐眼との対決いらい、心境に変化がしょうじていた。それをどうとらえればよいのか、真九郎は判じかねている。

以前は、敵を斬るたびに暗い空洞がおおきく穿《うが》たれていくかのようであった。それが、いまはなにもないのだ。

円は無辺である。水面に石をおとせば、波紋がひろがっていく。しかし、中心は鏡面のごとくおだやかになる。

鏡や水面であれば、覗《のぞ》けばおのれの顔が映る。だが、胸中を覗いても、そこにあったはずの気鬱なしこりが消えている。

朔日の朝、眼がさめたら、なぜかそんな心境になっていた。気の重さもなければ、解き放たれたかろやかさもない。ただ、おのれがそこにいる。それだけだ。

ふり返らずとも、居間で縫い物をしていた雪江が手をやすめ、こちらを見たのがわかった。

「あなた、寒くはござりませぬか」

「いや、むしろ心地よい」

「茶をおもちしましょうか」

「そうだな、たのむ」

雪江が厨へ行った。

――人を斬り、人の命を奪う。では、人とはなんだ。おのれとは。万物《ばんぶつ》は流転《るてん》するという。あの水溜りも、陽が射せば消える。命が尊いのであれば、鳥や虫の命とておなじなはずだ。生とは。そして死とは。

真九郎は、瞑目し、廂からの雨水に耳をかたむけた。こめかみで、血が脈打つのがわかる。

ほどなく、衣擦れの音に眼をあけた。

雪江が盆を捧《ささ》げもってでてきた。

膝をおり、真九郎とのあいだに盆をおく。

茶と羊羹《ようかん》があった。

「蕎麦《そば》を食する約束であったな。晴れたら行くとしよう」

雪江がにっこりとほほえんだ。

それから小半刻（三十分）ほどして、表の格子戸が開閉した。

「ごめんくださいやし、藤二郎でございやす」

雪江が盆に手をのばした。

真九郎は、上り口にむかった。

「鷹森さま、申しわけございやせんが、浪平《なみひら》までお越し願《ねげ》えやせんでしょうか。桜井の旦那はさきに行っておりやす」

「承知した。刀をとってくる」

雪江が厨からでてきた。居間のところで待っている。

「桜井どのに呼ばれた。浪平まで行ってくる」

真九郎は、小脇差を寝所の刀掛けにおき、大小を腰にさした。雪江が見送りについてきた。

土間のすみに、蛇の目傘がたてかけてある。真九郎は、足駄《あしだ》（高下駄）をはいて、蛇の目傘をもった。

「行ってらっしゃいませ」

雪江にうなずき、藤二郎につづいて表にでた。

藤二郎が格子戸をしめる。

真九郎は、脇道から和泉屋まえの表通りにでた。一歩斜めうしろを、藤二郎がついてくる。

浪平は、新川をわたった銀町《しろがねちょう》二丁目にある。大川にちかく、入堀《いりぼり》をはさんで越前《えちぜん》の国福井《ふくい》藩三十万石松平家の三万坪ちかい広大な中屋敷がある。

桜井琢馬は、桟橋に舫《もや》われた屋根船で待っていた。

藤二郎は川岸に残った。

真九郎は、艫《とも》から屋根船にのり、障子をあけた。

上座にいる琢馬が、にこっとほほえんだ。食膳が二脚用意されている。障子よこにおかれた乱れ箱と手桶《ておけ》に、琢馬の蛇の目傘と雪駄《せった》があった。

真九郎は、懐から手拭をだして足をぬぐった。

障子をしめて、下座にある食膳のまえにすわる。

琢馬が言った。

「雨のなかをすまなかったな。いまさっきもってきたばかりだ。おめえさんも一杯《いっぺえ》やって温《あった》まってくんな」

「いただきます」

真九郎は、諸白を注いで飲んだ。

「藤二郎に岸で見張らせてる。こんなとこまできてもらったんは、誰にも聞かれたくねえからよ」

琢馬が語った。

昨日《さくじつ》の夕刻、北町奉行の小田切土佐守は、隠居の身にある高木勝一郎をひそかに役宅へまねいた。そして、別の一件を探索していてたまたま判明したのだがと、勝一郎と桔梗屋の関係、藤とはつがいれかわったであろうことを述べた。桔梗屋に口止めの金子をあたえられ、いまは川越に住んでいるあの日寮にいた女中からも話を聞いているとつけくわえた。

いったいなにゆえそのような仕儀《しぎ》にいたったかをあかしてもらいたい。片岡家は当主が他界して、藤とはつには跡継ぎの嫡男まである。昔のことでもあり、ことと次第によっては内証《ないしょう》にしてもよいと考えている。が、あかせぬとあらば、目付へ届けざるをえない。

苦渋の表情で聞いていた勝一郎が、畳に両手をつき、申しあげますゆえどうかご内聞にと額をつけんばかりに平伏した。

勝一郎の娘ふたりは縹緻よしと評判であった。あの年の正月、組頭の牧野に呼ばれた勝一郎は、娘ふたりの縁組をもちだされた。組頭と親戚になるのは高木の家にとっても望ましい。むろん、勝一郎は二つ返事で承諾した。

牧野はせっかちであった。催促され、春のうちには届け出をしてお許しをえた。

そして、夏のあの日。勝一郎と久兵衛は屋根船の座敷で杯をかたむけ、藤とはつは舳で遊んでいた。

突然、水音がして、はつが悲鳴をあげた。

ふたりがあわてて障子をあけると、はつが舳を指さし、藤さまが、藤さまがと震える声で言うばかりであった。

勝一郎は、とびだして舳をつかんで身をのりだした。が、どこにも藤の姿はない。沈みっぱなしだとは考えられない。船底だ。

ふり返った勝一郎は、うろたえている船頭にいそぎ船をどけろと命じた。船頭が、艪《ろ》をつかう。

が、藤は浮きあがってこない。

漕《こ》ぐのをやめ、首をかしげた船頭が、船底にひっかかってるかもしれないと言った。見てきてくれとたのむと、承知してとびこんだ。

藤は、やはり船底にいた。着物がかかっていたのだ。いそいで座敷にあげたが、すでに手遅れであった。

勝一郎は、みなをおちつかせ、船頭に寄洲《よりす》へ船をつけるように命じた。

はつになにがあったのか訊くと、たがいに投げたお手玉をうけとる遊びをしていたのだという。

藤がもっと高くともとめるので、はつは思いきり高く山なりに投げた。すると、腰をのばして右手を船のそとにだしてとろうとした藤が、体勢をくずして川におちてしまった。

わたしのせいですと泣きくずれるはつを、勝一郎は責めなかった。そのかわり、久兵衛を説得して、はつを藤としてひきとることにしたのだった。

土佐守は、なにゆえ正直に申しでなんだと問うた。

しばしためらっていた勝一郎がこたえた。

牧野はものごとが思いどおりにならないと癇癪《かんしゃく》をおこす。すでに、親戚同然の扱いをうけており、申しひらきなど聞きいれてもらえる相手ではない。むしろ、舟遊びを責め、役目でもどのようなめに遭わされるかわからない。

それを申し聞かせたからこそ、久兵衛も承知したのだった。

寮のちかくに屋根船をつけ、久兵衛が内儀に話してはつの着物一式を包んでもってきた。着替えは、はつがひとりでやった。そのあいだ、勝一郎と久兵衛は舳にいて、今後の相談をしていた。

船頭は久兵衛でなんとかなるとのことであった。これ以降は、よほどの用向きでもないかぎり連絡をとらないと久兵衛を納得させた。ただ、はつが嫁ぐまえに一度だけ久兵衛と内儀を呼んで会わせた。

駕籠《かご》ではつをつれ帰った勝一郎は、妻女と娘に事情を語り、家のためだからこれからははつを藤として遇するよう命じた。もともと知らぬ仲ではない。当初は動揺していたふたりも、ほどなくはつをうけいれた。

はつはしばらく病ということにして部屋からださず、そのあいだに下男下女には暇をだした。中間《ちゅうげん》はその都度の雇いであり、親戚もいないので誰にも知られることなくいままできた。

「……お藤どのが亡くなったのはてめえのせいだって思ってたんだろうな、はつは武家の娘になろうとけなげに努めていたそうだ」

「お手玉遊び……」

真九郎は首をふった。

「ああ、若《わけ》え娘ふたりが大川に浮かべた屋根船の舳でお手玉を投げあって遊んでた。笑い興じていたろうよ。なんともやりきれねえぜ」

琢馬が諸白をあおった。真九郎も、おなじように残っていた諸白をあおり、あらたに注いだ。

さらに飲みほした琢馬が、三杯めを注いで杯をおいた。

「さりげなく訊いたそうだが、はつにはあまり持参金をととのえてやれなかったし、金子を無心されたこともねえそうだ」

「じつの父である久兵衛に、山城屋のことを打ち明けた」

「おいらは、こう考《かんげ》えてる。はつは証文をすべてとり返すまでってこらえていた。が、その後も、山城屋はあきらめなかった。噂にするとでも言やあ、はつは抗《あらが》えねえ。片岡と高木両家に迷惑をおよぼすことになっちまう。山城屋がしゃべれるはずはねえんだが、思いつめたんだろうな。だから、おめえさんが言うように久兵衛に相談した。それとな、お奉行が、久兵衛とのつきあいはいまだ断ったままかとお訊きしたら、そのとおりにございますと答《こて》えたってことだ。つまり、身投げの一件を知らねえのよ」

「はつも知らない」

琢馬が首肯した。

「桔梗屋の内儀は死んじまってるからな。父親が、てめえを護《まも》るために命を投げだした。知らねえほうがいい」

「ええ、そうですね」

「もうわかっただろうが、山城屋は、闇の一件とはかかわりのねえただの辻斬ってことにする。それをおめえさんに話しておくよう申しつかった」

「承知いたしました」

「お奉行もおんなしだとおっしゃっておられたんだが、最初からこっちの眼をそらせるつもりで大黒屋まで殺《や》らせたんじゃねえと思う。桔梗屋は商人だ、そんな知恵は悪党のもんよ。奴らが、めくらましに始末してもいい相手はいねえかってもちかけたにちげえねえ」

「そのとおりかと。久兵衛は、はつに累がおよぶのはなんとしてもさけたかった。殺させたのですから、大黒屋を恨んでたのはたしかだと思います。しかも、それで娘をかばうことになる」

真九郎は、ちいさく吐息をついた。

琢馬が訊いた。

「どうかしたかい」

「はつは、このままなにも知らずにいるかもしれません。しかし、はつが、みずからの身投げをふくめてすべてを知ったらどう思うか。久兵衛は、それを考えなかったのでしょうか」

「人ってのは、えてして目先しか見えねえもんだからな。……さて、ほかになんかなければ、おめえさんはもういいぜ。雨んなかにいつまでも立たせてたんじゃ、藤二郎が可《か》哀想《わえそう》だ。あいつにも飲ませてやりてえから、こっちにくるよう伝《つて》えてくんねえか」

「かしこまりました」

真九郎は、傘をさし、四日市町《よっかいちまち》への帰路をとった。

雨は、いつまでも江戸を濡らしつづけていた。


宵にはいっても雨はやまなかった。

別墅《べっしょ》のひろい庭が見わたせる離れ座敷で、鬼心斎《きしんさい》と弥右衛門《やえもん》と渡辺又兵衛《わたなべまたべえ》とが杯をかたむけていた。

鬼心斎は、庭の雨から弥右衛門へ眼を転じた。

「そういえば、浪人どもは、そちが狙いどおりに和泉屋の人足どもを斬らなんだというではないか。和泉屋の評判をおとしそこねたな」

弥右衛門が苦笑をうかべた。

「なかなか思いどおりにはゆきませぬ。またのおりもございましょう。それまで待つことにいたします」

「白酉《はくゆう》に命じて和泉屋を始末させてもよいぞ」

「私怨《しえん》はならぬと定められたは、御前にございます」

「こやつ、はじめて本音をもらしおった。やはり和泉屋を恨んでおるではないか。そちのためではない。鷹森真九郎が目と鼻のさきで和泉屋を殺《あや》めさせるも一興と、ふと思うたまでよ。鮫島兵庫が金子は、あといかほど残っておる」

「くわしくは帳面を見ませぬとわかりかねまするが、これまでに費《つい》えたは、いまだ二百五十両にはとどいておらぬはずにございます」

「五百両余もあるか」

「はい。しかし、御前、よもや鮫島兵庫が孫の手にかかって果てるとは。いかがいたしましょうや」

「むろんのこと、つづける。かの者は始末せねばならぬ、われらがためにもな。青卯《せいぼう》が手の者はどうなっておる」

「鷹森真九郎に残らずやられましたゆえ、上方《かみがた》に腕のたつ者をこちらへまわすようにつたえてございます」

「そうか」

鬼心斎は、また庭の雨に眼をやった。

鷹森真九郎は、やはりただの剣客ではなかった。

たわいなく金子をあつめるのに、いささか倦《う》みはじめているところであった。手応えのある敵をえて、鬼心斎は内奥に震えるがごとき喜びをおぼえていた。

――おぬしに、この虚《むな》しさがわかるか。

雨のかなたに、なかなかの美丈夫《びじょうふ》だという鷹森真九郎の面影《おもかげ》を描き、鬼心斎は問いかけた。

「弥右衛門」

又兵衛が言った。

「上方で想いだしたが、長崎がことはどうなっておるのじゃ」

「江戸と上方との金子を残らずはこぶてくばりも、唐人船の手配もできておりまする。渡辺さま、いつなりとも、清《しん》へわたり、呂宋《ルソン》へとまいれます」

いざとなれば、配下で望む者をしたがえ、はるかな海を越えて異境の地へゆく。ふたりにはそう思わせているが、鬼心斎は異国へなんぞ行く気はなかった。

本書は、徳間文庫より刊行された『霖雨蕭蕭　闇を斬る』（二〇〇六年七月刊）、その後加筆修正され朝日文庫より刊行された『霖雨蕭蕭　闇を斬る　五』（二〇一一年六月刊）に加筆修正を加えたものです。

実業之日本社文庫　最新刊

実業之日本社文庫　最新刊

知念実希人
神秘のセラピスト　天久鷹央の推理カルテ　完全版
左手の聖痕であらゆる病を治すと豪語する「預言者」。鷹央はその「神秘」に潜む真実を明らかにできるのか。書き下ろし掌編「詐欺師と小鳥」収録の完全版！
ち1 105

西村京太郎
十津川警部　北陸新幹線殺人事件　新装版
北陸路を震撼させた事件と戦争の意外なつながりとは!? 山前譲氏による北陸新幹線延伸記念特別企画「北陸新幹線と西村京太郎ミステリー」が加わった新装版！
に1 30

日野 草
殺し屋の約束
戦後の混乱期から現在を経て未来まで。百年のあいだ「約束」を受け継いだ殺し屋たちの願いとは――？ まったく新しい殺し屋ミステリー誕生！ 解説／大矢博子
ひ7 1

南 英男
策略者　捜査前線
おまえを殺った奴は、おれが必ず取っ捕まえる！ 歌舞伎町スナック店長殺しの裏に謎の女が―？ 亡き親友に誓う弔い捜査！ 警察ハード・サスペンス！
み7 33

彼女。　百合小説アンソロジー
相沢沙呼 青崎有吾 乾くるみ 織守きょうや 斜線堂有紀 武田綾乃 円居挽
百合ってなんだろう。彼女と私、至極の関係性を描いた珠玉の七編とそれを彩る七つのイラスト。傑作アンソロジー待望の文庫化！ 〝観測者〟は、あなた。
ん10 1

実業之日本社文庫 あ 28 5

霖雨蕭蕭《りんうしょうしょう》　闇《やみ》を斬《き》る　五《ご》

2024年2月15日　初版第1刷発行

著　者　荒崎一海《あらさきかずみ》

発行者　岩野裕一
発行所　株式会社実業之日本社
〒107-0062　東京都港区南青山 6-6-22 emergence 2
電話 [編集]03(6809)0473 [販売]03(6809)0495
ホームページ　https://www.j-n.co.jp/
ＤＴＰ　株式会社千秋社
印刷所　大日本印刷株式会社
製本所　大日本印刷株式会社

フォーマットデザイン　鈴木正道(Suzuki Design)

ISBN978-4-408-55862-2（第二文芸）